Lena Steinberg

Das Vollblutbuch

Vom Rennpferd zum Freizeitpartner

Das Vollblutbuch

Lena Steinberg

Bibliografische Information der Deutschen Nationalbibliothek:
Die Deutsche Nationalbibliothek verzeichnet diese
Publikation in der Deutschen Nationalbibliografie;
detaillierte bibliografische Daten sind im Internet
über http://dnb.dnb.de abrufbar.

Herstellung und Verlag:
BoD – Books on Demand, Norderstedt

ISBN: 978-3-7583-2910-4

Danksagung

Mein besonderer Dank gilt meiner Familie, ohne deren Unterstützung ich in meinem Umgang und Streben mit Pferden niemals so weit gekommen wäre, wie ich es heute bin.

Genauso bedanken möchte ich mich bei Henk Grewe von der Grewe und Holschbach Training & Racing GmbH, der mir geduldig meine Fragen beantwortet und mich so mit seinem Fachwissen unterstützt hat.

Zu guter Letzt möchte ich all den Pferden danken, die mir auf meinem bisherigen Weg begegnet sind und die mich zu dem Menschen gemacht haben, der ich heute bin.

Bitte ein Pferd aufrichtig um sein Vertrauen und seine Freundschaft und es wird dir beides geben und dich zusätzlich mit Liebe beschenken.

„L. Steinberg"

Inhaltsverzeichnis

Foto-/Abbildungsverzeichnis

Foto 2, Foto13, Foto Rückseite – Quelle: J.Sieger

Foto 3 – Quelle: H.Grewe

Übrige Fotos und Abbildungen – Quelle: Privat

1.0. VORWORT

Nach fast fünfzehn gemeinsamen Jahren musste ich mich schweren Herzens von meinem heiß geliebten Haflinger Wallach trennen. Ich habe immer geglaubt, dass ich nach ihm kein anderes Pferd haben möchte und mich ewig nicht umgewöhnen könne. Das war ein gewaltiger Irrtum. Sehr schnell habe ich festgestellt, dass meine Freizeit ohne Pferd einfach nicht das ist, was ich mir wünsche. Somit stand fest, es musste ein Nachfolger gefunden werden.

Ich habe alle möglichen Rassen und Pferde in Erwägung gezogen und war mir sicher zu ähnlich dürfte mein neuer Weggefährte meinem "Alten" nicht sein.

Also sind meine Mutter und ich losgezogen zu einem Hof, wo diverse Pferde, eigentlich „ohne Chance", doch noch die Möglichkeit auf ein gutes zu Hause bekommen sollten. Dort haben wir uns mit der Eigentümerin verabredet, um einen braven Wallach kennen zu lernen, der gut zu reiten war und eventuell auch mal geeignet sein könnte eine Kutsche zu ziehen. Da ich auch ein Fahrabzeichen besitze, hörte sich das Alles sehr vielversprechend an.

Also hingefahren, angeguckt und festgestellt, dass der Wallach ein echt netter Kerl war. Aber leider nur nett. Da ich fest davon überzeugt bin, dass Pferde kaufen wie verlieben ist, war nett nicht genug. Wo wir jedoch einmal vor Ort waren, war zügig klar, dass wir uns die anderen Verkaufspferde ebenfalls angucken würden.

Gesagt, getan... Als wir an einem alten Beton Futtersilo vorbeikamen, wo sowohl ein Loch für eine Türe als auch ein Loch für ein Fenster reingestemmt war, wurde mir gesagt, dass die Stute, die dort gehalten würde wohl grundsätzlich auch in Frage käme, jedoch nicht ganz einfach und zurzeit mit der Tochter des Hauses im Gelände sei.

Kurze Zeit später kam besagte Stute im vollen Galopp, mit mehr Beinen in der Luft als auf dem Boden und einem total überforderten Reiter auf dem Rücken in den Innenhof geschossen.

Keiner war erstaunter als ich selbst, aber ich wusste auf den ersten Blick: „Das ist meine neue Gefährtin."

Foto 1 - Quelle: Privat

Und so kam es, dass ich nach dreieinhalb Wochen, in denen ich täglich dorthin gefahren bin, nicht einen braven Wallach, sondern eine absolut durchgeknallte und als nahezu unreitbar abgestempelte englische Vollblutstute gekauft habe, die bei unserer ersten Begegnung gerade drei Wochen von der Galopprennbahn runter war. Die Stute hat mich vom ersten Tag an fasziniert und es war eigentlich schon am ersten Tag klar, dass ich mein Herz verloren hatte und Running Girl bei mir einziehen sollte.

Nun, etliche Jahre nachdem meine Running Girl bei mir gewesen ist und leider krankheitsbedingt eingeschläfert werden musste, kann ich nur sagen: Ein Vollblüter ist ein wunderbares Pferd und hat man sein Herz einmal gewonnen, gibt es keinen treueren und leistungsbereiteren Partner.

Wie Running Girl und ich zusammengefunden haben und was sich so alles ereignet hat, versuche ich in diesem Buch darzustellen und mit meinem Erfahrungsschatz in Bezug auf Pferdetraining zusammen zu bringen. So möchte ich vielen Menschen helfen, mit ihren Vollblütern zu einem super Team zu werden, beziehungsweise Menschen dazu zu motivieren, diesen tollen Geschöpfen das zu Hause zu geben, dass sie nach der Beendigung ihrer Rennkarriere verdienen.

Aus eigener Erfahrung kann ich sagen, hat man einmal sein Herz an einen Vollblüter verloren, dann wird man immer von ihnen begeistert bleiben.

Ich habe meine Erfahrungen aus über 25 Jahren mit Pferden, der Arbeit in einem großen Reitbetrieb, unendlich vielen Unterrichtsstunden im Western- und im Englischreiten, sowie der Bodenarbeit und dem Umgang mit verschiedenen Vollblütern gewonnen. Daraus habe ich meine Art mit Pferden zu arbeiten entwickelt. Bei mir zu Hause leben auch ohne meine Running Girl noch 8 Pferde und Ponys, die unterschiedlicher nicht sein können. Sie gehören alle zu meiner Familie und sind zum Teil schon seit fast zehn Jahren bei mir.

2.0. CHARAKTER DES VOLLBLUTS

Wenn über den Charakter von Vollblütern gesprochen wird, dann sind die ersten Begriffe die fallen, so etwas wie nervös und flippig. Kaum jemand denkt daran wie zäh, ausdauernd und wenn man sie lässt auch treu diese Geschöpfe sind. Außerdem sind sie mehr als viele andere Pferde bereit ihre ganze Kraft und Ausdauer in den Dienst ihres Menschen zu stellen.

Foto 2 - Quelle: J. Sieger

Darüber hinaus sind Vollblüter unglaublich intelligent, sie lernen sehr schnell Neues. Hierbei darf man aber nicht außer Acht lassen, dass ein Pferd niemals vergisst, welche guten und auch schlechten Erfahrungen es bereits gemacht hat. Denn was ein Vollblüter nicht möchte, dass wird er auch nicht tun und mit Zwang kann man dann definitiv nicht weiterkommen. Man muss im Umgang mit einem Vollblüter bereit sein, Sätze wie „Das habe ich schon immer so gemacht", aus seinem Wortschatz zu streichen. Vollblüter wissen oft wie stark sie sind und haben unter Umständen gelernt, dass Flucht oder Angriff die beste Verteidigung sein können. Auch entsteht Angst oft durch das Auslösen von Erinnerungen an schlechte Erlebnisse aus der Vergangenheit.

Hier kommt dann auch die Neigung der Vollblüter Nerven zu zeigen oft zur Geltung. Denn dem Temperament eines Vollblüters entspricht es nicht unbedingt immer erst einmal still stehen zu bleiben und sich zu überlegen, was das Richtige ist. So kommt es vor, dass ein Vollblüter erst zur Seite springt, den Kreislauf zur Flucht hochfährt und dann überlegt, ob etwas gefährlich oder ungefährlich ist.

Hat man jedoch bewiesen, dass das Pferd einem vertrauen kann und eine gemeinsame Basis gefunden, so wird auch ein Pferd, welches aktiv Rennen gelaufen ist beginnen seinem neuen Besitzer auch in schwierigen oder für es vermeintlich gruseligen Situationen zuzuhören.

Ist diese gemeinsame Basis erarbeitet, so wird der Vollblüter versuchen alles richtig zu machen, um seinem Menschen zu gefallen. Dann hat man bald einen treuen und liebevollen Partner.

Oft reagieren Exgalopper auch mit Ungeduld und Unruhe, wenn ihnen nicht klar ist, was man als Mensch mit einer gewissen Hilfe oder in einer bestimmten Situation erreichen möchte. Hier ist es ganz wichtig selbst genau zu wissen, was man erreichen möchte und klar, ruhig und trotzdem konsequent zu bleiben. Mehr zu diesem Thema aber im Kapitel Grundsätze für das Vollbluttraining.

Was Vollblüter bereit sind einem zurückzugeben, wenn man eine wirkliche Bindung zu ihnen hat, möchte ich mit der folgenden Geschichte verdeutlichen:

Meine Exgalopper und ich waren in einem Waldgebiet mit tollen Wegen unterwegs, geführt von einer Bekannten, die vorgab genau zu wissen wo wir lang müssen. Da es schon November war, waren wir nur für eine kurze Runde aufgebrochen, damit wir auf jeden Fall vor der Abenddämmerung zurück am Stall wären. Nach ungefähr

einer Stunde waren wir immer noch unterwegs und die Umgebung kam mir immer noch nicht bekannt vor. Auf Nachfrage gestand meine Bekannte, dass sie schon seit einiger Zeit nicht mehr wusste wo wir sind. Es wurde schnell immer dunkler und wir wussten definitiv nicht wo wir waren. Ich war mittlerweile abgestiegen und führte mein Pferd, da ich nicht wusste, wie sie im Dunkeln reagieren würde und ich ebenfalls nicht Gefahr laufen wollte zum Beispiel einen tiefhängenden Ast zu übersehen.

Einige Zeit leuchtete ich mit meinem Handy nach dem Weg aber auch der Akku ging langsam leer. Mein Pferd hatte den Begriff „geh vor" gelernt, eigentlich bei dem Weg durchs Weidetor oder an Engstellen. Nun hatte ich die Idee meine Stute zu bitten vorzugehen und das hat sie tatsächlich getan. Sie ist am langen Zügel nach Hause vorgelaufen und ich konnte mich voll und ganz auf sie verlassen.

Abschließend gehört noch betont, dass ich es Grund verkehrt finde, dass bei der Galopper Thematik jeder nur den „bekloppten Gaul" sieht und sich niemand fragt, warum ein Pferd so geworden ist, wie es ist. Pferde sind immer ehrlich und niemals von Natur aus böse (so sie nicht an einer schwerwiegenden das Gehirn betreffende oder Schmerzen verursachenden Krankheit leiden). Darüber sollte jeder nachdenken.

Insgesamt sind Vollblüter unglaublich lernfähig und sehr arbeitswillig mit einer ausgeprägten Begeisterung für Bewegung. Sie sind einfach sehr lebhaft. Gewinnt man einen Vollblüter für sich, so hat man einen temperamentvollen, treuen und leistungsbereiten Freund fürs Leben gewonnen.

3.0. RENNSTALL ALLTAG

Dieses Kapitel soll einen Einblick in den Alltag eines aktiven Rennpferdes ermöglichen. Die Informationen, die man beim Lesen hier erhält sind wichtig, um ein Gefühl für seinen pensionierten Hochleistungssportler zu bekommen. Denn wer einen Galopper als Freizeitpferd übernimmt, hat in der Regel wenig Vorstellung davon, wie der Alltag seines neuen Schützlings bisher ausgesehen hat.

Morgens beginnt der Alltag im Rennstall schon um fünf Uhr mit der Morgenfütterung.

Die aktiven Rennpferde, die voll im Training stehen, sind an relativ kleine Heurationen und sehr umfangreiche Haferrationen (bis zu sieben Kilogramm am Tag) gewohnt.

Das tägliche Training sieht beispielsweise so aus:

Vormittags gehen die Pferde 45 Minuten zum Aufwärmen in die Führmaschine und werden danach ca. eine Stunde unter dem Reiter trainiert. Hierbei handelt es sich um Galopptraining. Diese Einheiten haben nichts mit einem dressurmäßigen Training zu tun, sondern es geht um Geschwindigkeit und Kondition. Nach dem Training mit Reiter geht das Pferd nochmal zum Abkühlen 45 Minuten in die Führmaschine.

Am späten Nachmittag geht das Pferd nochmal 45 Minuten in die Führmaschine.

Dann erfolgt die Abendfütterung.

Die restliche Zeit des Tages verbringen die Pferde oftmals in der Box. Einige Pferde haben die Möglichkeit stundenweise alleine auf einem Paddock zu stehen. Weidegang ist im Rennpferdealltag nicht vorgesehen. Auslauf auf großen Flächen oder gar in Gesellschaft von Artgenossen ist für die aktiven Hochleistungssportler zu gefährlich und wird daher nicht eingeplant.

So kommt ein Galopper im Schnitt auf zwei bis drei Stunden Training pro Tag. Die Tagesabläufe sind immer so gleich wie möglich, da auch Rennpferde Gewohnheitstiere sind und deutlich gelassener reagieren, wenn sie sich auf einen wiederkehrenden Ablauf einstellen können und somit wissen, was sie erwartet. Das Bild zeigt Juanito, zwei Jahre alt und in sehr guter körperlicher Verfassung, denn nur so können die gewünschten Höchstleistungen erbracht werden.

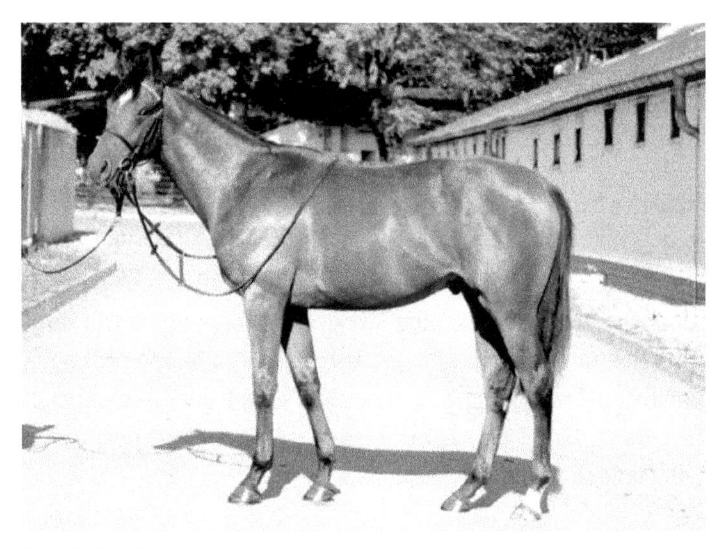

Foto 3 - Quelle: H. Grewe

Abwechslung in diese Routine bringen die Renntage. An diesen Tagen ist für die Pferde plötzlich alles anders. Sie werden verladen, erleben eine fremde Umgebung mit vielen fremden Pferden, Musik, Ansager, vielen Menschen und auch die Rennen selber.

All diese Veränderungen sorgen auch bei noch so sorgfältiger Betreuung für einen gewissen Stresspegel bei den Pferden.

Dies ist eine streng durchgetaktete und teilweise stressige Lebensweise. In Kombination mit den hohen Kraftfutter- und vergleichsweise geringen Raufuttermengen und weitestgehend ohne Pferdefreundschaften sorgt dies bisweilen für eine Krankheitsanfälligkeit im Bereich des Magens. Doch auch dieses erhöhte Risiko lässt sich durch gute Beobachtung, Betreuung und Versorgung der Rennpferde gut eindämmen. Hier ist jeder Pferdebesitzer oder Trainingsstall in der Pflicht so gut wie möglich auf die Pferde zu achten.

Diese Fürsorgepflicht wird in der Regel auch ernstgenommen, denn nur wer fit ist bringt auch gute Leistungen. Trotzdem gibt es auch hier, wie in jeder anderen Branche, schwarze Schafe. Bei deren Pferden man mit Problemen im Bereich der Erziehung, der Magengesundheit und des Futterzustandes rechnen muss.

Nach diesem kleinen Einblick in den Tagesablauf eines aktiven Rennpferdes, entsteht hoffentlich ein gewisses Verständnis für die nicht immer „pferdetypischen" Reaktionen eines ausrangierten Rennpferdes. Ein Pferd, welches am Tag drei Stunden trainiert wird, hauptsächlich von Hafer lebt, keinen direkten Kontakt zu Artgenossen pflegen kann und Weidegang nicht kennt, darf gerne mal überfordert sein, wenn es sich plötzlich im Leben eines Freizeitpferdes wiederfindet. Die Umstellung sollte also behutsam und mit viel Feingefühl erfolgen.

4.0. VOLLBLUT KAUFEN

Ein Pferd zu kaufen, hierbei ist es ganz egal welcher Rasse, muss Liebe sein.

Die grundsätzliche Basis für gegenseitiges Vertrauen und Respekt kann man sich zwar hart erarbeiten, aber es ist einfacher mit einem Pferd zusammen zu wachsen, wenn von beiden Seiten aus die Chemie stimmt.

Ob das der Fall ist sollte jeder erfühlen können, der glaubt, dass er genug Pferdemensch ist, um ein eigenes Pferd zu besitzen. Ist das Pferd mit der Aufmerksamkeit bei dir? Ist es bereit zuzuhören, auch wenn die Verständigung noch nicht aufeinander abgestimmt ist? Oder ist das Pferd abgeneigt oder uninteressiert?

Diese Fragen sollte man versuchen zu beantworten. Und mal ganz einfach gesprochen gegen ehrlich gemeinte Zuneigung hat kein Pferd etwas einzuwenden. Dies sollte man jedoch nicht damit verwechseln, dass sich jedes Pferd stundenlang schmusen und im Gesicht anfassen lassen muss.
Hier muss jeder auf sein Herz hören.

Gut ist es, wenn man vor der endgültigen Kaufentscheidung einige Mal mit seinem neuen Partner loszieht, um zu prüfen, ob das Bauchgefühl recht behält. Gerade bei Vollblütern, die aktiv auf der Rennbahn im Einsatz waren, gibt es immer wieder Exemplare, die einen emotionalen Schaden davongetragen haben. Zusätzlich stehen diese Pferde meist noch sehr hoch im Training und im Futter und haben folglich viel mehr Energie übrig, als man als Freizeitreiter abfragen kann. Diese Energie entlädt sich auch schon mal ganz unverhofft. So kann es jederzeit sein, dass man sich ohne Vorwarnung auf dem sogenannten Pulverfass wiederfindet. Dann ist es enorm wichtig, dass man genug innere Ruhe für sich und sein Pferd hat, denn nur wer die Nerven behält und gleichzeitig dem Pferd vermitteln kann, dass alles in Ordnung ist und sich die Aufregung gar nicht lohnt, ist geeignet um auf Dauer mit einem Vollblüter glücklich zu werden.

Dieser Problematik muss sich jeder bewusst sein, bevor man sich dazu entscheidet einem solchen Pferd eine Chance zu geben.

Natürlich gibt es auch viele Vollblüter, die einfach froh sind, wenn sie in ein gutes zu Hause kommen. Plötzlich spielen sie für ihren Menschen die erste Geige und gehen begierig auf neue Aufgabe zu und zeigen sich recht souverän. Doch auch diese Pferde haben ein ähnliches Temperament wie ihre "durchgeknallten" Rassegefährten und sollten in entsprechend erfahrene Hände.

Ausrangierte Rennpferde werden häufig im Internet angeboten. Ansonsten kann man auf der Suche nach einem solchen Traumpferd auch auf den Rennbahnen und bei den Züchtern nachfragen. Es gibt eigentlich immer Pferde, die nicht schnell genug, zu alt (fünf- bis siebenjährig) oder als nicht ausreichend belastbar gelten, um im Renngeschäft zu bleiben.

Sollte man auf diesen Wegen nicht fündig werden, kann man auch nach Organisationen oder Einzelpersonen suchen, die Exgalopper zum Reitpferd umschulen, denn dann sind die ersten Hürden in ihr neues Leben schon genommen. Optimaler Weise hat dann die Gewöhnung an eine andere Trainingsintensität und die Futterzusammenstellung schon stattgefunden und das Pferd hat vielleicht schon gelernt in einer Pferdeherde klarzukommen. Ebenfalls sitzen dann bereits die reiterlichen Grundkommandos.

Hat man DAS Pferd für sich gefunden, so sollte man überlegen, eine Ankaufuntersuchung machen zu lassen. Diese sollte im Optimalfall von einem Tierarzt gemacht werden, den man bereits kennt. Steht das Pferd zu weit vom eigenen Wohnort entfernt, sollte man sich einen Tierarzt aus der Region entscheiden. Je nachdem wie vertrauenswürdig der Verkäufer erscheint, kann man sich auch von diesem einen Tierarzt empfehlen lassen. Den Umfang der Untersuchung sollte man davon abhängig machen, was man mit dem Pferd im Folgenden vorhat und was das Pferd wert ist. Kauft man ohne Ankaufuntersuchung, kann es im schlimmsten Fall sein, dass das Pferd für den geplanten Einsatzzweck niemals zu gebrauchen ist. Doch auch die umfangreichste Ankaufuntersuchung schützt einen und vor allem sein Pferd nicht vor einem Tritt auf der Weide oder einen Sturz beim Toben. Diese Thematik sollte man also ganz in Ruhe betrachten und mit einer vertrauten Person besprechen. Wichtig ist, dass man sich mit seiner Entscheidung wohl fühlt und bereit ist alle Konsequenzen mit seinem Pferd gemeinsam durchzustehen.

Egal für welchen Weg man sich entscheidet, es sollte vollkommen klar sein, dass ein Pferd ein Lebewesen und Partner ist und vom Kauf an zur Familie gehört, egal ob es gerade gut oder schlecht läuft oder ob man der Verzweiflung nahe ist. Durchhalten und gemeinsam an auftretenden Problemen arbeiten lohnt sich, denn wenn ein Vollblüter sein Herz verschenkt ist er bereit für seinen Menschen alles zu geben.

Foto 4 - Quelle: Privat

5.0. DER UMZUG

Bevor man seinen neuen Liebling nach Hause holt, gibt es einige Dinge zu entscheiden und zu organisieren.

Es Beginnt bei der Suche nach dem geeigneten Stall. Hier sollte man sich gut überlegen, welche Ansprüche man selbst hat, welche Ansprüche das Pferd hat und auf was man zum Beispiel zum Wohle des Pferdes verzichten würde. Das Pferd benötigt nämlich kein schickes Reiterstübchen, um sich wohlzufühlen. Auch sollte man überlegen, ob man Vollpension wünscht beziehungsweise benötigt oder ob man auch als Selbstversorger glücklich wäre. Auch die Entfernung zwischen Wohnort, Arbeitsstätte und Stall darf nicht vernachlässigt werden, da man diese Strecken ja fortan täglich fahren wird. Bei dieser ganzen Überlegung sollte man letztlich auch den finanziellen Aspekt nicht vernachlässigen und die entstehenden Kosten im Blick behalten. Zum Thema Unterbringung des Pferdes gibt es genaueres im Kapitel Haltung.

All diese Entscheidungen sollte man sorgfältig treffen, denn ein Umzug ist für jedes Pferd enormer Stress und sollte deshalb nicht öfter erfolgen als unbedingt notwendig.

Ist entschieden, wo das Pferd unterkommen soll, steht es an den Transport zu organisieren. Hat man selber einen Anhänger, ein Zugfahrzeug und einen entsprechenden Führerschein, so ist der Transport relativ einfach. Dann sollte man nur noch überlegen, wen man als Helfer mitnehmen möchte und ob man bei der emotionalen Anspannung das eigene Pferd nach Hause zu holen selber fahren möchte / kann oder ob besser jemand anderes fährt. Die Person, die hilft, sollte auf jeden Fall wissen, wie man ein Pferd verlädt und auch in unübersichtlichen Situationen in der Lage sein, Ruhe zu bewahren und den Überblick zu behalten. Man sollte in einem solchen Moment nicht unter Zeitdruck stehen und immer damit rechnen, dass sich der Vollblüter unter Umständen nicht einfach in einen normalen Pferdeanhänger führen lässt. Für viele ehemalige Rennpferde ist das Verladen kein Problem, es gibt aber beispielsweise auch Pferde, die bisher nur im LKW gefahren wurden und noch nie einen Anhänger von innen gesehen haben. Dies lässt sich je nach Vorgeschichte in einem Gespräch mit dem bisherigen Besitzer klären.

Auch die Dauer des Transportes sollte bei der Planung berücksichtigt werden. Hier ist zu klären, ob neben einem Heunetz zum Zeitvertreib, Trink- oder gar Übernachtungspausen eingeplant werden müssen.

Besitzt man keinen eigenen Pferdeanhänger, so sollte man sich ein Fahrzeug leihen oder beim Vorbesitzer anfragen, manchmal besteht die Möglichkeit sich seinen neuen Liebling bringen zu lassen.

So oder so sollte man ausreichend Zeit haben, in Ruhe vorgehen und am Ziel sollte alles vorbereitet sein.

Es bietet sich an mit dem Stalleigentümer vorab zu klären, wie die Vergesellschaftung von statten gehen soll oder welche Box das Pferd beziehen soll. So kann das Pferd im neuen Zuhause in Ruhe ankommen und braucht dort nach dem Transport nicht mehr warten, bis alles geklärt ist.

6.0. DER RUNDUMCHECK

Ist die Entscheidung gefallen und das Pferd im neuen Zuhause angekommen, so sollte es vollkommen selbstverständlich sein, dass erst einmal Ankommen und Eingewöhnen auf dem Plan steht.

Es ist meiner Erfahrung nach immer ein guter Anfang einen Vollblüter mit dem ihm eigenen Temperament so viel wie möglich in Auslaufhaltung zu halten. Je artgerechter und naturnäher die Unterbringung wird, desto eher hat das Pferd die Chance den Kopf frei zu bekommen und wieder Pferd sein zu können.

Es sollte jedoch beachtet werden, dass ein Pferd von der Rennbahn unter Umständen seit seinem ersten Geburtstag, also dem Trainingsbeginn, nicht mehr auf der Weide gestanden hat. Hier entwickeln sich natürlich Ängste und Feinde, die einem "normalen" Freizeitpferd niemals in den Sinn kämen. So kann zum Beispiel die Wellenbewegung des Grases im Wind oder die ersten Annäherungsversuche der Artgenossen oder die erste hereinbrechende Dunkelheit für das Pferd eine kleine Katastrophe bedeuten. Für die Ankunft im neuen Zuhause sollte auf jeden Fall genug Zeit eingeplant werden. Zeitdruck und ein nervöser Vollblüter, der bei seinem Menschen nach Geborgenheit und Sicherheit in der neuen Situation sucht, passen einfach nicht zusammen.

Ist die Vergesellschaftung des neuen Pferdes mit der bereits im Stall bestehenden Herde, die Eingewöhnung auf der neuen Anlage erfolgreich und das Pferd hat festgestellt, dass Artgenossen und eine entsprechend große Weide ein hervorragendes Ventil für überschüssige Energie sind, so wird auch der Umgang immer einfacher. Wer nicht unter Hochspannung steht, ist viel eher bereit zuzuhören und nicht gleich in Panik beziehungsweise Hektik zu verfallen, wenn irgendetwas fremd oder neu ist.

In dieser Zeit wird der Vollblüter, da sehr gelehrig und intelligent feststellen, dass immer wieder der gleiche Mensch kommt, der ihn liebhat, betüddelt und versorgt. Auch das wird weiterhin zur Entspannung beitragen, denn wenn das Pferd beginnt zu akzeptieren zu wem es gehört und das dieser Mensch immer fair und ruhig ist und somit als gutes „Leitpferd" vorangeht, wird auch Das mehr Ruhe ins Pferd bringen.

Foto 5 - Quelle: Privat

Wenn das Pferd also soweit angekommen ist, sollte bevor, in welcher Form auch immer, Leistung abverlangt wird immer ein Rund um Check auf dem Plan stehen. Denn wie genau der Zustand des Pferdes aktuell ist, kann man nur mit Gewissheit sagen, wenn eine Überprüfung von Fachleuten vorgenommen wurde. Zu einem solchen Checkup gehören in meinen Augen ein Tierarzt, ein Osteopath beziehungsweise Chiropraktiker, ein Pferdezahnarzt und ein Hufschmied.

Obwohl der Part des Tierarztes im Normalfall bereits durch die Ankaufuntersuchung abgedeckt ist, sollte er jedoch auch im Nachhinein nicht zu kurz kommen. Viele Unarten oder unkooperatives Verhalten eines Pferdes sind schlicht weg auf Schmerzen zurückzuführen. Ist ein Pferd am Boden zum

Beispiel ein absoluter Gentleman und nur beim Reiten „unmöglich", so ist eine der häufigsten Ursachen ein schmerzender Rücken. Diese Probleme können meist durch Besuche beim Sattler, Osteopathen oder dem Schmied erledigt werden. Denn mal ganz ehrlich, ein Pferd ist nicht am Boden ein Lamm und nur mit Reiter auf dem Rücken ein kleiner Teufel. Dies ist ein Verhalten, welches dem Lebewesen Pferd fremd ist, denn es würde bedeuten, dass es extra scheut oder bockt um den Reiter zu ärgern!

In diesem Kapitel versuche ich auf einige Aspekte aufmerksam zu machen, die mir besonders wichtig erscheinen.

6.1. Tierarzt

Bei der Auswahl des Tierarztes für sein pensioniertes Rennpferd sollte darauf geachtet werden, dass er sehr viel Einfühlungsvermögen besitzt und eine gute Portion Geduld mitbringt. Denn ein Vollblüter ist nicht mit einem meist recht gemütlich veranlagten Pony zu vergleichen. Es ist mit viel Emotionsflexibilität zu rechnen, die die Arbeit des Tierarztes meist nicht einfacher macht. Ein Tierarzt der in solchen Situationen zu Ungeduld neigt, wird die Lage nicht beruhigen können. Man darf seinem Vollblüter zwar auch in dieser Phase nicht alles durchgehen lassen, ein „Donnerwetter" zur rechten Zeit kann Wunder wirken, jedoch ist es nicht ratsam ungeduldig oder gar unfair zu werden.

Sehnen und Bänder eines ausrangierten Rennpferdes sind oft überlastet. Eine Beugeprobe kann durchaus positiv sein, ohne dass etwas Gravierendes vorliegt. Hier ist Fingerspitzengefühl des Tierarztes wichtig. Die vorliegende Überlastung kann sich schlicht durch gemäßigte Belastung (im Vergleich zur Rennbahn) auskurieren.

Hierzu vielleicht am Rande die Bemerkung, dass meine Stute als ich sie gekauft habe bei der Beugeprobe der Ankaufuntersuchung

auf beiden Vorderbeinen furchtbar lahm war. Da ich entsetzlich verliebt in sie war und mir gut vorstellen konnte, wie ich laufen würde, wenn bei mir jemand eine Beugeprobe machen würde, habe ich sie trotzdem gekauft. Sie war also nicht nur durchgeknallt und als unreitbar verschrien, sondern auch noch lahm. Es war mir egal und ich hatte tatsächlich Glück, denn wie die Tierärztin damals vermutet hatte, waren ihre Vorderbeine einfach überlastet. Sie war in den darauffolgenden Jahren bei mir, wegen irgendwelcher Probleme mit ihren Sehnen nicht ein einziges Mal lahm.

Bei diesem ersten Tierarztbesuch, sollte man auch überlegen, ob man den Schlachtpferdestatus des Pferdes austragen lassen möchte. Dieser Eintrag im Pferdepass besagt, ob ein Pferd als Schlachtpferd geeignet ist oder nicht. Diese Entscheidung kann nicht rückgängig gemacht werden. Ist der Schlachtpferdestatus einmal gestrichen, so ist das endgültig. Dies hängt damit zusammen, dass Tierärzte Pferden ohne diesen Eintrag als Schlachtpferd ganz andere Medikament verabreichen dürfen. Für mich war es vollkommen selbstverständlich diesen Status zu streichen, denn meine Stute würde niemals zum Schlachter gehen. Die Verantwortung seinem Pferd das Ende so angenehm wie möglich zu machen, trägt jeder Pferdebesitzer. Außerdem wollte ich je nach Erkrankung nicht auf bestimmte Medikamente verzichten müssen, nur, weil diese für Schlachtpferde nicht zugelassen sind.

Diese Entscheidung muss jeder selbst treffen und sie sollte gut überlegt sein.

Der Tierarzt sollte sich das Pferd also einmal in Gänze ansehen und dann je nachdem wie sein Eindruck ist Ratschläge geben, welche Untersuchungen und Behandlungen gemacht werden sollten oder gar notwendig sind.

Gerade die Vollblüter sind unheimlich intelligent und wissen schnell, welche Behandlung weh tut oder ob eine Berührung angenehm ist. So kann es sein, dass ein tapferer Vollblüter beim Verarzten einer Weideverletzung brav stillsteht, bei der nächsten anstehenden Impfung jedoch sehr unkooperativ ist, da schon beim Reinigen der Stelle zum Impfen klar ist, dass der Einstich schmerzhaft ist, auch wenn brav stillgehalten wird.

Der Tierarzt eures Vertrauens sollte also eine ruhige Art mitbringen und auch in unvorhergesehenen Situationen verständnisvoll bleiben. Wenn man noch keinen Tierarzt für Pferde persönlich kennt, ist es von Vorteil sich im neuen Stall zu erkundigen, wer welchen Tierarzt hat und welche Einstellung zu dem jeweiligen Tierarzt herrscht.

Letztendlich kann ich nur den Tipp geben, euch einen Tierarzt zu suchen, der euch sympathisch ist und der euch kompetent erscheint, sodass ihr ihm ruhigen Gewissens die Gesundheit eures Pferdes anvertrauen könnt.

Meine Running Girl war bei unserem ersten Tierarzt immer recht brav. Nachdem ich jedoch eine schwerwiegende Meinungsverschiedenheit mit ihm hatte, bei der er meine Sympathie vollkommen verloren hat, war es nicht mehr möglich, dass er meine Stute behandelt. Sie hat meine Ablehnung angenommen und gespiegelt, sodass sie sich von ihm nicht mal mehr anfassen ließ. Schlussendlich haben wir uns einen neuen Tierarzt gesucht und waren danach deutlich besser dran.

6.2. Osteopath / Chiropraktiker

Ein Termin zur Osteopathie oder Chiropraktik sollte für den Galopper nach der Eingewöhnung ebenfalls auf dem Programm stehen. Auch hier ist wieder jemand mit dem notwendigen Feingefühl gefragt, der dem Vollblüter durch Ruhe und Gelassenheit vermittelt, dass die kommende Behandlung etwas Positives ist. Meist sind Angehörige dieser Berufsgruppe jedoch von sich aus entsprechend eingestellt, sodass dieser Termin eigentlich in Ruhe ablaufen kann.

Ein solcher Termin kann wahre Wunder bewirken, denn eine schiefstehende Hüfte oder verschobene Rückenwirbel können einem Pferd schwer zu schaffen machen. Dies ist natürlich nicht nur bei den Vollblütern so, sondern bei allen Pferden und sogar Menschen. Jeder der schon mal einen Hexenschuss, etwas an den Bandscheiben oder dem Ischiasnerv hatte, weiß genau wovon hier die Rede ist. Bei solchen Leiden können enorme Schmerzen und Fehlhaltungen entstehen, die es dem Pferd annähernd unmöglich machen einen Reiter entspannt und artig zu tragen.

Auch wenn ein Pferd bereits durchgecheckt war und plötzlich etwas, dass es bisher brav gemacht oder schon gut gelernt hatte nicht mehr macht ohne sich zu wehren oder deutliche Abwehrreaktionen zu zeigen, sollte man einen erneuten Termin im Hinterkopf haben. Es reicht schon ein Vertreten, Wegrutschen oder Fallen auf der Wiese dafür, dass ein Wirbel, die Hüfte, die Schulter oder auch jedes andere Gelenk schmerzhaft in Mitleidenschaft gezogen sein kann.

Ein bis zwei Mal im Jahr sollte jedes Pferd von einem Chiropraktiker oder Osteopathen durchgecheckt werden, damit gar nicht erst genügend Zeit vergeht, in der sich Schmerzen und Fehlhaltungen festsetzen können und das Training auf den Kopf stellen.

Es ist jedoch genauso wichtig bei diesen Erwägungen immer auch den eigenen Körper mit einzubeziehen, wie das folgende Beispiel von Running Girl und mir zeigt:

Ich habe bemerkt, dass meine Stute Probleme damit hatte auf der linken Hand genauso entspannt zu laufen wie auf der rechten Hand. Also habe ich unsere Osteopathin kommen lassen. Sie hat

Running Girl durchgecheckt, jedoch nur ein paar Kleinigkeiten gefunden, die diese Probleme nicht erklären konnten. Nach der Behandlung habe ich Running Girl wieder zu ihrer Herde zurückgebracht, während die Osteopathin uns nachsah. Als ich wieder bei ihr am Stall ankam strahlte sie mich an und erklärte mir, dass ich einen solchen Termin gerade viel nötiger gehabt hätte als mein Pferd.

Also habe ich für mich selber einen Termin bei meinem Osteopathen gemacht und siehe da unser Problem lag gar nicht bei Running Girl. Nach dem ich selbst beim Osteopathen gewesen war, konnte ich sagen, dass das Problem bei mir lag. Ich hatte nämlich auf Grund einer Verschiebung in der Wirbelsäule eine Schiefstellung in der Hüfte entwickelt, wodurch ich meinem Pferd auf der rechten Hand unbewusst viel mehr Platz gelassen habe, um die Bewegung raus zu lassen und die Freiheit der Schulter zu genießen. Auf der linken Hand jedoch habe ich es ihr sehr schwer gemacht, weil ich das Gewicht nicht wie gewünscht in den Sattel bringen konnte und sie durch meinen krummen Sitz in der Bewegung behindert habe.

Wie das oben genannte Beispiel zeigt, ist es keineswegs damit getan bei auftretenden Problemen immer nur nach dem Pferd zu sehen. Auch wenn es natürlich enorm wichtig ist, dass das Pferd gesund und schmerzfrei ist, so kann das Problem immer auch beim Reiter liegen.

6.3. Zahnarzt

Ein weiterer wichtiger Besuch ist der beim Zahnarzt. Einige Tierärzte machen diese Behandlungen bei ihren Patienten selbst, es gibt jedoch auch Spezialisten die sich ausschließlich mit den Zähnen eines Pferdes befassen. Ein solcher Besuch sollte jährlich mit zum Vorsorgeprogramm bei jedem

Pferd gehören. Somit kann in der Regel gewährleistet werden, dass das Tragen des Mundstücks beim Reiten, die Futteraufnahme und eine gute Futterverwertung ohne Probleme möglich sind.

Bei einigen Pferden reicht es auch aus, wenn sie alle zwei Jahre die Zähne bearbeitet bekommen, bei anderen sollte der Zahnarzt besser zwei Mal im Jahr kommen. Diese Entscheidung sollte jedoch der Fachmann treffen, um für das jeweilige Pferd den bestmöglichen Zustand der Zähne zu erreichen. Auf jeden Fall sollte der Zahnarzt das Pferdegebiss betrachtet haben, bevor begonnen wird das Pferd mit Gebiss zu bewegen, denn so kann von vorne herein ausgeschlossen werden, dass das Pferd sich auf Grund von Zahnschmerzen gegen das Gebiss oder eine Hilfe wehrt. Da ein Exgalopper grundsätzlich in seiner Umschulung viel zu lernen und zu verarbeiten hat, sollten die neuen Lektionen definitiv nicht wehtun, weil die Zähne nicht in Ordnung sind.

Haben Zähne durch ungleichmäßigen Abrieb Spitzen oder Haken entwickelt, so können diese, wenn sie nicht behandelt werden, den Kiefer des Pferdes verletzen und zu Schmerzen und Entzündungen in der Maulhöhle führen. Noch schlimmer sieht es bei zerbrochenen Zähnen oder Zahnwurzeln aus, die durch extrem grobe Einwirkung am Gebiss oder einen Tritt von einem anderen Pferd verursacht werden können. Hier kann ähnlich wie beim Menschen eine Wurzelentzündung entstehen.

All diese möglichen Zahnprobleme, können gewaltige Einschränkungen zur Folge haben, welche es einem Pferd fast unmöglich machen brav das Gebiss anzunehmen. Bei der Behandlung durch einen Zahnarzt sollte man keinesfalls versuchen zu sparen, wenn ein solcher Termin notwendig ist, ist er notwendig.

Denn ein Pferd mit Zahnschmerzen oder einem bösen Zahnhaken, der beim Kauen oder Maul schließen ständig in den Kiefer bohrt, kann nicht lernen, dass eine weiche Reiterhand keine Schmerzen verursacht. Somit werden die Beziehung und das Vertrauen zwischen Pferd und Reiter enorm belastet. Schmerzen sind nun mal nicht sehr förderlich für eine entspannte Arbeitseinstellung des Pferdes und das Vertrauen in den neuen Reiter.

6.4. Hufschmied

Auch sollte man nach dem Kauf eines ehemaligen Rennpferdes einen Hufschmied kontaktieren. Es ist wichtig die Hufe kontrollieren zu lassen und mit dem Hufschmied auszumachen, wann das nächste Mal eine Bearbeitung erforderlich ist.

Oft bekommen die Pferde, wenn sie aus dem Renngeschäft ausgeschieden sind die Hufeisen abgenommen, auch wenn das für das jeweilige Pferd nicht zwangsläufig gut ist. Natürlich sollte man ein Pferd barfuß gehen lassen, wenn es geht. Bei einem Vollblüter der unter Umständen alle ihm zur Verfügung stehende Energie für die von ihm erwarteten Hochleistungen benötigt hat, kann es sein, dass seine Hufe in einem schlechten Zustand sind.

Viele Vollblüter, die von der Rennbahn kommen, haben auch recht kleine und vor allem sehr flache Vorderhufe. Dies ist aber nicht unbedingt Veranlagung, sondern kann auch an der Hufbearbeitung während der aktiven Rennbahn Zeit liegen. Denn in dieser Zeit sind die Vollblüter mit Aluminium Eisen beschlagen. Da diese Eisen auf Grund ihres Materials nicht sehr stabil sind, laufen sie sich je nach Beanspruchung schnell ab. So kann es sein, dass ein Rennpferd alle zwei bis drei Wochen neu beschlagen wird. Zusätzlich werden je nach Renntermin auch zwischen zwei regulären Terminen noch einmal neue Hufeisen vor dem nächsten Rennen aufgenagelt. Da bei jedem neuen Beschlag der Huf gekürzt wird, ist es bei der Kürze der Beschlagsintervalle nicht weiter verwunderlich, dass die Hufe an Größe und Höhe einbüßen.

Mit geeigneter Hufpflege und einem Hufschmied mit genügend Erfahrung und viel Zeit, lassen sich die Hufe meist wieder in eine gute Form bringen.

Gerade Vollblüter, die nach ihrer Rennkarriere nicht sofort in ein gutes Zuhause ziehen können, haben bisweilen eine schwere Übergangszeit hinter sich. In dieser Zeit kann es sein, dass die Versorgung des Pferdes nicht unbedingt optimal war. So kann es in der Anfangszeit sein, dass ein spezielles Mineral Futter für das Huf Wachstum notwendig ist, um diese mangelnde Versorgung wieder aufzufangen.

Hat man jedoch einen Vollblüter mit viel Temperament und einem gewissen Maß an Tollpatschigkeit, so kann es sein, dass die Eisen gerade am Anfang auf der Weide regelmäßig abgetreten werden. Hat man einen solchen Experten, der sich fleißig die Hufeisen, trotz Hufglocken oder ähnlichem Schutz abtritt, so kann es sehr nützlich sein sich selber eine Grundausstattung Hufbeschlagswerkzeug zuzulegen, sodass man halb abgetretene Eisen selber entfernen kann, ohne am Huf zu viel Schaden anzurichten.

Hierfür reicht es in der Regel, wenn man einen Hammer, eine Nietklinge und eine Hufbeschlagszange besitzt. Somit kann man mit der Nietklinge von außen unter die noch festen Nagelenden gehen und diese mit dem Hammer nach oben schlagen, sodass die Nägel sich öffnen beziehungsweise sich wieder geradebiegen. Sind alle Nägel gelöst, so kann man den Huf des Pferdes aufnehmen und mit der Hufbeschlagszange das Hufeisen umfassen und langsam und vorsichtig vom Huf hebeln. Dies sollte man sich unbedingt von seinem Hufschmied am eigenen Pferd zeigen lassen, so kann man sicher sein, nichts falsch zu machen und auf alle Besonderheiten des eigenen Pferdes zu achten.

Je nachdem wie empfindlich das Pferd ohne Hufeisen reagiert und auch abhängig davon, wie viel am Huf beim Verlust des Eisens beschädigt wurde, kann es nicht nur sinnvoll, sondern notwendig sein, seinem Vollblüter einen geeigneten und stabilen Hufverband (siehe Anleitung: „Hufverband wickeln leicht gemacht") anzulegen. Wichtig ist beim Anlegen eines Hufverbandes, dass er den Huf ausreichend polstert ist und dass in der Fesselbeuge, also der Gelenkbeuge zwischen Huf und Fessel, nichts abgeschnürt oder eingedrückt wird. Die Ausrüstung (Hufbeschlagswerkzeug und Hufverbandmaterial) für solche Fälle sollte man zum Standardinhalt der eigenen Stallapotheke erklären.

Anleitung: Hufverband wickeln leichtgemacht

Pferdehuf gründlich abbürsten und auch vom Hufballen und aus der Fesselbeuge sämtlichen Dreck entfernen, damit nichts scheuern kann.

Um den Huf eine Babywindel Größe Null oder Eins legen und die Verschlüsse von vorne auf dem Huf verschließen; Die Windel polstert nicht nur den Huf sondern sorgt auch ein bisschen für Trockenheit im Verband.

Je nachdem wie empfindlich das Pferd ist, kann auch noch ein kleines Frotteehandtuch gefaltet und unter den Huf gelegt werden.

Eine Bandage um den Huf wickeln (hierfür eignen sich am besten halb Stretch halb Fleece Bandagen); es muss fest genug gewickelt werden, damit der Verband auch hält. Gewickelt wird bis an den Hufballen nicht bis in die Fesselbeuge, damit nichts abgeschnürt wird.

Abschließend wird der ganze Verband mit Gewebeklebeband aus dem Baumarkt umwickelt; Es ist reißfest und wasserabweisend und kann, wenn der Verband länger halten muss, einfach nachgeklebt werden.

Zu guter Letzt sei noch angemerkt, dass die Alu Eisen, die die aktiven Rennpferde tragen ausschließlich im Kaltbeschlag verwandt werden. Das bedeutet, das Hufeisen wird vor dem Aufnageln nicht erhitzt, sondern in kaltem Zustand auf den Huf aufgebracht. Soll ein ehemaliges Rennpferd nun also normale Hufeisen bekommen, werden diese ja in der Regel per Heißbeschlag auf den Huf gebracht. Das Hufeisen wird also heiß gemacht und auf den Huf aufgebrannt bevor genagelt wird. Das Rauchen, Zischen und den Geruch, wenn das heiße Hufeisen den Huf berührt, hat ein Rennpferd noch nie erlebt. Also sollten alle Beteiligten mit dem notwendigen Fingerspitzengefühl an die Sache rangehen und das Pferd nicht einfach überrumpeln. Der Schmied sollte auf jeden Fall darüber informiert werden, dass das Pferd die Prozedur des Heißbeschlags nicht kennt. Somit wird unschönen Überraschungen vorgebeugt.

7.0. HALTUNG

Bei der Haltung von Pferden scheiden sich bekanntlich die Geister, es gibt viele verschiedene Lager und Meinungen. Diese Meinungen beinhalten alles von Boxenhaltung bis hin zu Fans der absoluten Robusthaltung ganzjährig auf der großen grünen Wiese. Auch bei der Pferdehaltung ist das eine Extrem so schwierig wie das Andere und die Kompromisse die sich in der Mitte treffen, bringen häufig die meisten Vorteile für Pferd und Reiter. Es bleibt natürlich auch immer zu berücksichtigen, um welche Art Pferd es sich handelt und für welchen Einsatz es vorgesehen ist. Genauso sollten Alter und Geschlecht nicht unberücksichtigt bleiben. Gehen wir also von einem Vollblüter aus, der zwischen drei und sieben Jahre alt ist, bisher im Rennstall gestanden hat und nun in eine Haltung wechselt, wie sie viele Freizeitpferde erleben.

Berücksichtigt man das Temperament eines Vollbluts und möchte trotzdem ein entspanntes und relaxtes Pferd bekommen, so wird man umso mehr Erfolg haben, je mehr Zeit das Pferd auf einer großen Fläche mit anderen Pferden verbringen darf. Hier eigenen sich gut angelegte Offen- oder Aktivställe sehr gut.

Stellt man ein pensioniertes Rennpferd 20 Stunden am Tag in eine Box, so ähnelt die Haltung der im Rennstall, jedoch mit dem Unterschied, dass wohl kaum jemand der ein Freizeitpferd besitzt die restlichen vier Stunden des Tages mit gezieltem Konditions- und Geschwindigkeitstraining ausfüllt. So ist es nicht verwunderlich, dass einem dann das Temperament seines Vollblüters mit Wucht entgegenschlägt. Das Pferd wird einen extremen Überschuss an Energie haben und die bisher gewohnte Menge Bewegung vermissen. So ist Unausgeglichenheit und explosives Verhalten vorprogrammiert. Dieses Spannungsfeld kann man vermeiden, wenn das Pferd viel Bewegung auf der freien Fläche erleben darf.

Foto 6 - Quelle: Privat

Denn für das Dasein als Boxenpferd im Freizeitreiterbereich hat ein Vollblut einfach das falsche Temperament. Die Menge an Bewegung, die sich ein solches Pferd auf der Weide selber verschafft, kann man als Freizeitreiter in der Regel gar nicht ermöglichen, wenn das Pferd in einer Box gehalten wird.

Ein weiterer Vorteil an der Haltung mit viel Auslauf in einer Herde ist die Gewöhnung des Galoppers an die diversen Umweltreize wie Wind, Regen oder kleinere Wildtiere und Vögel. So kann der ehemalige Sportler von seinen Herdengenossen lernen, dass diese Dinge keineswegs gefährlich sind. Diesen Vorteil sollte man sich durchaus zu Nutze machen, denn alles was das Pferd in der Herde kennenlernt, braucht es nicht unter dem Reiter zu lernen. Die Scheu vor solchen natürlichen Gespenstern verliert ein Pferd am Besten in dem es Tag und Nacht draußen steht. Im Sommer auf der Wiese und im Winter auf dem Paddock.

Als pensioniertes Rennpferd kannte Running Girl alle möglichen Dinge: Musik, Publikum, Fahnen. Um sie vollkommen aus der Ruhe zu bringen und für großes Erschrecken zu sorgen, reichte hingegen, wenn ein Spatz auf dem Reitplatz oder in ihrer Nähe auf der Weide landete. War ein solch kleiner Vogel schon gruselig, so war eine flügelschlagende Taube in ihren Augen ein wahres Monster. Stand sie also auf der Weide und ein solches Untier landete in ihrer Nähe, so sprang sie sofort los und scheute.

Ihre Herdengenossen sahen sie dann immer leicht ungläubig an und grasten in aller Ruhe weiter. Nach einiger Zeit war sie durch das Verhalten der anderen Pferde davon überzeugt, dass die Vögle ihr nichts antun würden. Als sie dies verinnerlicht hatte, wurden solche Situationen auch während der gemeinsamen Arbeit ungefährlicher. So hat die Herdenhaltung Running Girl bei der Einschätzung solcher Situationen enorm geholfen.

Es sollten natürlich immer genug weiche, trockene Liegeplätze und Unterstellmöglichkeiten für alle Herdenmitglieder vorhanden sein. Denn die Entspannung und gute Möglichkeiten zu Ruhen sind unabdingbar, wenn man ein entspanntes Freizeitpferd haben möchte.

Bei allen Vorteilen, die die Zeit draußen und vor allem der Umgang mit geeigneten Sozialpartnern für das Pferd hat, darf man nie vergessen, dass ein aktives Rennpferd in der Regel ausschließlich in Einzelhaltung gelebt hat. So muss die Vergesellschaftung und das Integrieren in eine Herde mit Bedacht durchgeführt werden und sollte nicht überstürzt werden. Auf jeden Fall muss wirklich viel Platz vorhanden sein, sodass sich der Galopper nicht im nächsten Zaun wiederfindet, wenn er seine Geschwindigkeit ausnutzt, um vor einem zu aufdringlichen neuen Kameraden zu flüchten.

Running Girl war nun also gekauft und sollte in eine kleine Herde auf einer wirklich schönen, großen und leicht hügeligen, mit alten Bäumen bewachsenen Weide integriert werden.

Nachdem sie ein paar Tage lang in einem abgetrennten Bereich neben der Herde her gelebt hatte, war der Tag der Vergesellschaftung gekommen. Wir ließen sie also zu den anderen Pferden auf die Wiese.

Als die Truppe angelaufen kam, um sich die neue Herdengenossin anzusehen, suchte sie ihr Heil tatsächlich zunächst in der Flucht. Sobald sich ein anderes Pferd näherte, sprintete sie los und blieb erst wieder stehen, wenn sie erkannt hatte, das gar nicht um die Wette gelaufen wurde. Dieses Verhalten hat sie eine ganze Weile gezeigt, bis sie sich mit einem jungen Wallach aus der Truppe vorsichtig anzunähern begann. Nachdem sie ihren ersten Kumpel kennengelernt hatte, hat er sie mit zu den anderen Pferden genommen. Danach folgte noch das Ausloten der Rangfolge. Auch hier konnte man sehen, dass Running Girl Defizite im Umgang mit anderen Pferden hatte.

Ich bin sehr froh, dass sie so viel Platz hatten, ich mag mir gar nicht vorstellen, wie sie ausgesehen hätte, wenn die Option zwischendurch aus der „Bedrängnis" durch die anderen zu fliehen nicht bestanden hätte. Versteht mich bitte nicht falsch, die Herde war sehr sozial und entspannt und einfach nur neugierig auf die Neue. Running Girl war diejenige, die zu Beginn mit der Menge an sozialer Interaktion überfordert war. Doch auch diese Eigenschaften können die wirklich lernfähigen Vollblüter noch erlernen beziehungsweise die Erfahrungen von der Fohlenwiese wiederauffrischen. Running Girl war als sie zu mir kam immerhin schon sieben. Nach zwei weiteren Stallwechsel nach jeweils ca. drei Jahren war sie in meiner Herde bei mir zu Hause in ihrem Sozialverhalten so

gut aufgestellt, dass sie zu der besten Leitstute wurde, die ich jemals kennengelernt habe.

Nichts desto trotz sollte man sein Pferd genau beobachten, es gibt auch immer wieder Exemplare, die mit einer 24 Stunden Haltung in einer Gruppe wenigstens zu Beginn überfordert sind. Hier sollte über eine eigene Box für entspannte Nächte nachgedacht werden. Diese Box darf natürlich gerne über einen eigenen kleinen Paddock verfügen. Denn auch hier gilt: Nur mehr Bewegung ist mehr Bewegung. Sehr wichtig ist außerdem, dass das Pferd immer ausreichend Raufutter zur Verfügung hat und einen Platz an dem es ganz in Ruhe sein Kraftfutter fressen kann, egal für welche Haltungsform man sich entscheidet. Durch den ihnen eigenen Energiebedarf und ihre Vorgeschichte sind Exgalopper schon mal schnell unentspannt, was Artgenossen in der Nähe ihres Fressplatzes betrifft.

Ein weiterer wichtiger Aspekt bei der Haltung von Galoppern ist auch der Körperbau und die Bemuskelung dieser Pferde. Denn die zierlichen, starken Pferde haben einen sehr hohen Grundumsatz und durch die starke Bemuskelung einen enormen Energieverbrauch. Dadurch frieren sie schneller als zum Beispiel ein Warmblut oder ein Pony. So sollte man nicht davor zurück schrecken seinen Vollblüter wenn nötig einzudecken. Hierzu aber mehr im Kapitel Decken.

Haltungstechnisch eine Herausforderung kann auch der erste Winter sein. Denn ein aktiver Galopper kommt in der Regel nicht mit dem typischen deutschen Winterwetter in Berührung ohne eingestallt und eingedeckt zu sein. Die schlanken und sehr muskulösen Vollblüter benötigen bei nass kaltem Wetter Unmengen Energie und je nachdem wie gut oder schlecht das Pferd zurecht ist, kann es auch sein, dass im ersten Winter kein oder nur unzureichendes Winterfell entwickelt wird. Somit sollte man auf jeden Fall eine passende Decke mit entsprechender Fütterung bereithalten. Auch eine Abschwitzdecke mit Keramikfasern im Inneren ist ziemlich empfehlenswert, da diese das Pferd sehr schnell trocknen lassen und helfen die Muskulatur zu lockern. Denn wer friert ist auch schnell verspannt und wer muskulär verspannt ist kann nicht gut mitarbeiten.

Insgesamt sollte man auf jeden Fall versuchen seinem Exgalopper ein Leben zu ermöglichen, welches Stress und Druck vermeidet und außerdem Ruhe und Vertrauen vermittelt. Die Menge Bewegung, die ein solcher Sportler im Ruhestand braucht, sollte man nicht unterschätzen. Es ist nicht unmöglich, dass ein Vollblüter im Sommer auf der Wiese vom Grasen aufschaut, sich umblickt und ohne ersichtlichen Grund ein oder zwei Runden außen um seine Herde rum galoppiert, nur aus reiner Bewegungsfreude und sich dann wieder entspannt zu den anderen gesellt und weiter frisst. Wo aber sollte dieses Pferd diese Menge Energie lassen, wenn es in einer Box steht? Ganz klar dieser Energieüberschuss müsste dann während des „Freigangs" mit dem Menschen abgebaut werden. Diese Energieausbrüche kann man sich ersparen, wenn das Pferd genügend Platz und Zeit hat sich frei zu bewegen.

8.0. FÜTTERUNG

Gerade bei der Fütterung eines Exrennpferdes gibt es Einiges zu beachten. Man darf nie vergessen, dass man einen Hochleistungssportler vor sich hat, der auch entsprechend seines Trainings und seines Arbeitspensums gefüttert wurde. Hier sei nochmal angemerkt: Die Futterrationen für aktive Rennpferde enthalten wie bereits erwähnt bis zu sieben Kilogramm Hafer am Tag und relativ wenig Raufutter. Diese energiereiche Fütterung, kann man nicht von jetzt auf gleich umstellen, da sich die Muskulatur des Pferdes ja auch nicht vom einen auf den anderen Tag umstellt. Ebenfalls müssen die Verdauung und der gesamte Organismus eine Chance bekommen sich auf die neuen Gegebenheiten einzustellen. Hier ist also eine gewisse Planung und Fingerspitzengefühl gefragt. Um dem Pferd die Umstellung so leicht wie möglich zu machen, empfiehlt es sich den Vorbesitzer genau zu befragen, was das Pferd bisher in welchen Mengen und wie oft am Tag zu fressen bekommen hat. So hat man eine Idee vom Ist-Stand der Futterration und kann sich dann langsam einer Futterration annähern, die besser zum Freizeitpartner Vollblut passt.

Foto 7 - Quelle: Privat

Gerade wenn man mit seinem Vollblüter in einen Stall zieht, wo ausschließlich reine Freizeitpferde stehen, kann man ganz schnell viele sehr kluge Ratschläge bekommen, wie man Dieses oder Jenes in der Fütterung und auch ganz allgemein besser machen kann. Davon sollte man sich nicht zu sehr beeindrucken lassen. Hier ein Beispiel: Andere Pferde bekommen üblicherweise über den Sommer zusätzlich zur Weide gar kein oder nur wenig Kraftfutter. Das kann für den Vollblüter oft nicht gutgehen. Denn er hat einen viel höheren Grundumsatz, als ein Warmblut oder ein Pony. Dies sorgt bei einem Vollblüter schneller dafür, dass wenn auf der Weide, kurz bevor wieder gewechselt wird, nur noch wenig Genießbares drauf ist, dass sie sofort beginnen einzufallen und Rippen zu zeigen. Es ist sinnvoll zuzufüttern, bevor das Pferd die gewonnene Substanz wieder abgebaut hat, denn Abbauen geht in der Regel viel schneller als Aufbauen. So ist es nicht sinnvoll das ganze Jahr über das Gleiche zu füttern. Der Futterplan sollte immer und jederzeit der zu leistenden Arbeit und den sonstigen Umständen wie z.B. Weide, Raufutterangebot und auch Temperatur und Witterung angepasst werden.

Gute Bestandteile einer Fütterung, um Gewicht zuzulegen oder später dann auch zu erhalten, können die folgenden Komponenten sein:

Maisflocken
Weizenkleie
Heucobs
Reiskleie
Luzerne
Schwarzhafer

Zusätzlich sollte auf die tägliche Gabe eines guten Mineralfutters nicht verzichtet werden. Das kann eine echte Investition in die Zukunft sein, denn langanhaltender nicht erkannter Mineralmangel kann zu diversen gesundheitlichen Problemen führen.

Auch die Gabe von zum Beispiel Leinöl kann eine gute Sache sein, damit das Pferd die aufgenommenen Nährstoffe besser verwerten kann.

Weiter Zusatzfutter können ebenso sinnvoll sein. Hier nur einige Beispiele:

Mineralfutter für die Hufe,
Kräuter gegen Durchfall und Kotwasser bei viel Silage
Magnesium für mehr Gelassenheit
Bierhefe zur Unterstützung der Verdauung und für Fell und Haut

Diese und andere Futterzusätze können sehr sinnvoll und hilfreich sein, aber da man auch viel falsch machen kann, rate ich dazu eine professionelle Futterberatung mit Rationsberechnung von einem unabhängigen Futterberater machen zu lassen. Sollte man dies nicht wollen, sollte jedoch auf jeden Fall vom Tierarzt ein Blutbild gemacht werden, welches Einem Aufschluss darüber gibt, was vielleicht schon im Argen liegt. Denn gerade bei der Fütterung gilt nicht immer: Viel hilft auch viel. Ganz im Gegenteil kann man bei zu viel zu gefütterten Zusätzen seinem Pferd schaden.

Die Kombination aus Raufutter, Kraftfutter und Saftfutter sollte immer gut aufeinander abgestimmt sein. Jede Umstellung sollte langsam erfolgen, sodass das Pferd sich insbesondere verdauungstechnisch darauf einstellen kann.

Am Rande sei hier auch erwähnt, dass es sinnvoll ist einen Wurmstatus vom Tierarzt feststellen zu lassen beziehungsweise dafür zu sorgen, dass das Pferd immer entsprechend entwurmt ist beziehungsweise entwurmt wird. Denn noch so viel hochwertiges und gut abgestimmtes Futter nutzt dem Vollblüter wie jedem anderen Pferd auch, gar nichts, wenn er von Würmern befallen ist.

Wie bei jedem anderen Pferd ist es auch bei unseren Vollblütern sehr wichtig sie durch langsames Anweiden auf die Weidesaison entsprechend vorzubereiten. Es kann sogar sein, dass das ehemalige Rennpferd auf der Wiese ankommt, seinen Menschen leicht unverständlich anschaut und nicht weiß, dass „das grüne Zeug" essbar ist.

So erlebt bei Running Girl: Es war von vorne herein klar, dass die Stute aus ihrer Box raus sollte in eine Herde und mit möglich wenig Stunden in Einzelhaltung. Sie sollte an der Hand bereits angeweidet werden, damit sie im neuen Stall nach der entsprechenden Vergesellschaftung auch auf die Wiese konnte. Gesagt, getan, Vollblüter ans Halfter und ab auf ein Stückchen Wiese.

Sie blieb neben mir stehen und sah sich interessiert um, hatte jedoch keinen Schimmer was ich von ihr wollte. Also habe ich ihr ein paar Büschel Gras gepflückt und diese aus der Hand verfüttert. Sie war sofort begeistert. Als sie dann raushatte, dass man das grüne Zeug zu ihren Füßen essen konnte, ging der Kopf runter und sie hat ohne zu zögern und vor allem ohne zu kauen so viel Gras gerupft, wie sie auf einmal ins Maul bekam. So hatten wir das nächste Problem. Sie hatte das Maul so voll, dass sie richtige Hamsterbacken hatte. Also haben meine Mama und ich das Maul wieder so weit ausgeräumt, dass sie wieder gut kauen konnte.

Beim zweiten Anlauf war sie dann schon deutlich geschickter und so lernte sie nach und nach selber zu grasen.

Foto 8 - Quelle: Privat

Was ich mit dieser Geschichte berichten möchte ist, dass man bei einem Exgalopper nicht davon ausgehen kann, das ganz alltägliche Dinge wie bei jedem anderen Pferd auch funktionieren.

9.0. AUSRÜSTUNG

Die Ausrüstung für Pferd und Reiter ist ein sehr interessantes, vielfältiges und unter Umständen auch teures Thema.

Der eine Grundsatz, der jedoch für jedes Pferd egal welcher Rasse gilt ist: Die Ausrüstung muss auf das Pferd, den Reiter sowie auf die Anforderungen in Haltung und Training zugeschnitten sein.

Gerade bei den pensionierten Gallopern, die aktiv Rennen gelaufen sind, ist es wichtig nicht nur passende Ausrüstung zu beschaffen, sondern diese auch regelmäßig vom Fachmann überprüfen zu lassen. Denn der Körper des Vollblüters verändert sich auf dem Weg vom Hochleistungssportler zum Freizeitpartner enorm.

Die größten, beziehungsweise wichtigsten Bereiche der Pferdeausrüstung werden in den nachfolgenden Kapiteln beleuchtet. Dort wird es um Sattel, Trense, Bein- und Hufschutz, genauso wie um Decken gehen.

Zusätzlich sollte für das eigene Pferd auf jeden Fall die diversen Putz- und Pflegemittel vorhanden sein, genauso wie ein gutes Stallhalfter mit Führstrick und eine Longe. Ob man für sich und sein Pferd Dinge, wie Doppellonge, Ausbinder in jeglicher Art, Knotenhalfter, Kappzaum oder eine Fliegenmaske für den Sommer benötigt, sollte man sich entsprechend der eigenen Ziele und Neigungen oder entsprechende der Reitweise und Haltungsform überlegen. Bei allen neuen Trainingsutensilien sollte man jedoch grundsätzlich darüber nachdenken, dass es immer sein kann, dass ein Vollblüter frisch von der Rennbahn diese Dinge noch nie zuvor gesehen hat. Entsprechend der Vorerfahrung des Pferdes und seines Temperaments können die Reaktionen natürlich zwischen neugierigem Interesse, Überforderung und sogar Panik liegen, wenn gegebenenfalls alte Erinnerungen angesprochen werden, die dem Pferd Angst machen.

So kann zu Beginn einer Freundschaft mit einem Exgalopper manchmal Ausrüstungstechnisch weniger definitiv mehr sein.

Foto 9 - Quelle: Privat

9.1. Sattel

Grundsätzlich ist es vollkommen egal für welchen Sattel beziehungsweise welche Reitweise man sich entscheidet. Das Einzige was wirklich wichtig ist, ist die gute Passform des Sattels. Hier sollte man nicht versuchen am falschen Ende Geld zu sparen, sondern einen qualitativ anständigen Sattel anschaffen und einen Fachmann hinzuziehen. Es muss genau überprüft werden, welcher Satteltyp wirklich passt und welche Möglichkeiten es gegebenenfalls zur Anpassung gibt.

Gerade am Anfang der Karriere des Pferdes als Freizeitpartner sollte man bereit sein den Sattler öfter kommen zu lassen, um zu überprüfen, ob der neue Sattel noch passt. In den ersten ein bis zwei Jahren können tatsächlich zwei oder drei neue Sättel notwendig sein. Die muskulären Veränderungen eines Vollblüters in der Übergangszeit vom Rennpferd zum Freizeitpferd sind gravierend. So ist der gefühlt gerade erst angepasste Sattel eventuell ganz schnell schon wieder zu eng oder drückt an der Schulter oder sitzt aus sonst einem Grund nicht mehr richtig. Empfehlenswert ist es gerade am Anfang gute gebrauchte Sättel zu kaufen, am besten bei einem Sattler der diese auch wieder zurücknimmt, wenn der nächste Wechsel ansteht.

Erfahrungsgemäß ist ein Westernsattel für ein ehemaliges Rennpferd eine gute Alternative, denn der gefühlsmäßige Unterschied zwischen einem Rennsattel und einem Westernsattel ist sehr groß. Somit wird es dem Pferd leichter gemacht nicht jederzeit auf den Einsatz im Rennen zu warten, sondern sich damit abzufinden, dass es eine neue Aufgabe zu erlernen gibt.

Foto 10 - Quelle: Privat

Aber auch ein gut angepasster englischer Sattel egal ob Springsattel, Vielseitigkeitssattel oder Dressursattel ist durchaus für einen Vollblüter geeignet. Wichtig ist hier, dass es weniger auf die Reitweise zu der der Sattel gehört, sondern auf gute Passform und Tragekomfort für das Pferd ankommt. Egal, welchen Satteltyp man wählt, er muss stets an die jeweiligen Veränderungen der Körperform des Pferdes angepasst sein.

Für welchen Sattel man sich letztendlich entscheidet hängt auch viel von den eigenen Neigungen und Interessen, sowie der zukünftigen Einsatzweise ab.

9.2. Trense

Bei der Auswahl des Kopfstücks und des Gebisses sollte man bedenken: Ein Vollblut ist es gewohnt, auf Druck mit Gegendruck zu reagieren. Deshalb ist es grundsätzlich nicht ratsam mit scharfen, also dünnen oder Hebelwirkung besitzenden Gebissen zu arbeiten.

Foto 11 - Quelle: Privat

Am besten eignen sich einfach oder doppeltgebrochene Ausbildungsgebisse. Auf welche Form und welches Material man sich hier festlegt, sollte man tatsächlich gemeinsam mit seinem Pferd entscheiden. Dies klingt vielleicht eigenartig, ist jedoch gar nicht so weit hergeholt. Das Pferd muss das Gebiss schließlich tragen und besteht dieses aus einem Material oder hat eine Dicke, die dem Pferd unangenehm ist, braucht man sich nicht wundern, wenn das Pferd gegen die Hand des Reiters arbeitet.

Aber auch beim Thema Zäumung gilt, Vollblüter sind ungewöhnliche Pferde, die zeitweise mit ungewöhnlichen Methoden gearbeitet werden sollten.

So kann eine Problematik, die scheint als würde das Pferd sich wehren oder gegen das Gebiss arbeiten, unter Umständen auch mit einem gebisslosen Zaum gelöst werden. Nur weil das Pferd mit Gebiss heftig erscheint, heißt das nicht, dass es sich gebisslos nicht reiten lässt. Ein gutes, hochwertiges und vor allem vom Fachmann angepasstes Bosal oder eine andere gebisslose Zäumung kann Wunder wirken. Denn eines ist sicher, damit ist das Pferd auf der Rennbahn noch nicht konfrontiert gewesen und hat somit auch keinerlei gute oder schlechte Erfahrungen damit gemacht.

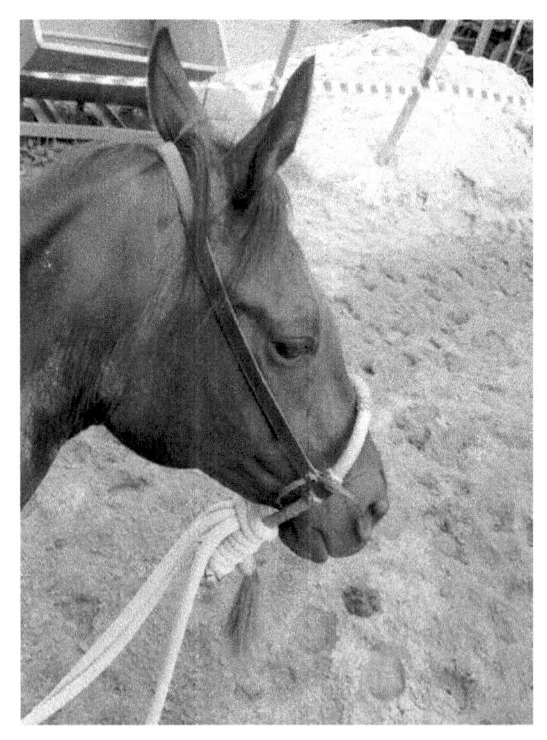

Foto 12 - Quelle: Privat

Wenn das Pferd ausgelastet ist und man ein ausreichendes Vertrauensverhältnis aufgebaut hat, dann ist es durchaus eine Alternative, gebisslose Reiterei in Erwägung zu ziehen.

Hier möchte ich aber ausdrücklich darauf hinweisen, dass man bei allem was man macht, immer im Hinterkopf behalten sollte, dass Wagemut und Leichtsinn keine Alternative zu ausreichender Bewegung und guter Grundlagenarbeit bieten. Man sollte nie mehr wagen, als man sich und seinem Pferd zutraut. Vor allem sollte man nicht auf die Idee kommen ohne Anleitung eines erfahrenen Pferdemenschen einfach gebisslos oder gar nur mit Halfter oder mit Halsring loszureiten. Das ist leichtsinnig und kann einfach nur gefährlich werden und gefährliche Situationen können sehr schnell viel von dem mühsam erarbeiteten Vertrauen zerstören. Dies soll natürlich nicht heißen, dass man einen Vollblüter nicht gebisslos oder mit Halsring reiten kann, aber das erfordert viel Übung und Vorbereitung und sollte nicht einfach mal eben ausprobiert werden.

9.3. Gamaschen / Bandagen / Hufglocken

Anfangs, wenn es noch zu Temperamentsausbrüchen kommt oder die Einheiten beim Toben auf dem Platz recht rasant ausfallen, sollten Gamaschen die empfindlichen Beine vor Verletzungen schützen.

Dies sollte aber nach Möglichkeit nicht zur Dauereinrichtung werden, da die Pferdebeine nicht dafür gebaut sind ständig eingeengt zu werden und auch die Empfindung der eigenen Beine verändert wird.

Sollte es nicht für die Arbeit notwendig sein, beispielsweise beim Springreiten oder im Gelände sollte man auf Beinschutz verzichten.

Bandagen sind beim Longieren zum Stützen der Beine keine schlechte Alternative, wobei man ganz dringend darauf achten sollte, dass die Bandagen sich während der Bewegung nicht lösen können. Denn ein Vollblüter, dem plötzlich ein meterlanger Stoffstreifen zwischen den Beinen rumstreicht, der sich nicht abschütteln lässt, kann sehr aus der Ruhe geraten. Hierbei kann es ohne weiteres zu einer gefährlichen Panikattacke kommen, die ohne weiteres auch zu Stürzen führen kann.

Hufglocken hingegen sind, so Hufeisen notwendig sind, ein absolutes Highlight. Die für die Ausgeglichenheit so sinnvollen Weidegänge sowie die Einheiten zum Austoben im Freilauf und Hufeisen sind nicht zwangsläufig kompatibel. Aus welchem Material die Hufglocken sind, hängt schwer vom Pferd, vom Wetter und der Bodenbeschaffenheit ab. Hufglocken aus Gummi sind sehr leicht, die aus Neopren sind deutlich robuster und die mit Lammfell schützen die empfindliche Haut in der Fesselbeuge. Gerade Hufglocken aus Lammfell haben aber den Nachteil, dass sie auf nassen, matschigen Weiden im Herbst nicht mehr schön flauschig sind, sondern die Nässe am Bein festhalten und so schnell anfangen zu scheuern. Braucht man also Hufglocken, so empfiehlt es sich welche aus mehreren Materialien in der entsprechenden Größe zu besitzen. Da einzelne Hufglocken sehr schnell schon mal kaputt oder verloren gehen, sollte man den Ersatz nicht erst anschaffen müssen, sondern direkt greifbar haben.

Die Hufglocken sollten auf der Weide genutzt werden, wobei man aber darauf achten muss, wie die Hufglocken sitzen und aus welchem Material sie sind, damit keine Scheuerstellen entstehen. Denn Scheuerstellen in der Fesselbeuge sind nicht nur unangenehm, sondern machen auch den weiteren Einsatz der Hufglocken unmöglich. Außerdem kann eine aufgescheuerte Stelle, in Kombination mit der Feuchtigkeit auf der Weide, unter Umständen zu Mauke führen. Hier ist ein wachsames Auge notwendig.

Sobald die Weidegänge nicht mehr in ausgelassenes Toben münden und der Untergrund nicht zu matschig ist, kann man auch wieder auf die Hufglocken verzichten.

Nach dem Besuch beim Hufschmied kann es ebenfalls sinnvoll sein, die Hufglocken die ersten Tage zu nutzen, damit die neuen Eisen nicht unmittelbar nach dem Beschlag wieder abgetreten werden können. Denn das ist nicht nur sehr schädlich für die frisch bearbeiteten Hufe sondern zu dem auch ärgerlich und auf Dauer zu teuer.

9.4. Decken

Grundsätzlich muss jeder selber entscheiden, was er von dem ständigen Hin und Her mit den diversen Decken hält. Je nach Pferd ist das Eindecken jedoch wirklich sinnvoll. Denn das Eindecken kann mehrere Vorteile haben. Ein eingedecktes Pferd wird im Rücken nie so sehr verspannt sein, wie ein Pferd, welches mit nassem Rücken den ganzen Tag auf dem Paddock steht. Da kann eine warme Decke Abhilfe schaffen, damit die Muskulatur locker bleibt und der Beginn einer Trainingseinheit nicht durch übermäßige Steifheit unangenehm für Pferd und Reiter wird. Denn das ist nicht nur unbequem zu sitzen, sondern auch für das Pferd schmerzhaft. Stellen Sie sich nur einmal vor, Sie wären vollkommen verspannt und durchgefroren von einer ungeplanten Übernachtung in Ihrem PKW am Straßenrand und es würde Sie jemand wecken und beschließen, dass es für Sie nun sofort an der Zeit ist sportliche Leistungen zu erbringen und dabei auch noch jemanden Huckepack zu nehmen. Ein solches Erlebnis wünscht sich sicherlich niemand.

Außerdem ist es besser, wenn das Pferd, welches nach seiner Zeit als Rennpferd zunehmen soll, nicht ganz alleine gegen das nass kalte Wetter anheizen muss, denn dabei wird sehr viel Energie verbraucht, welche dann wiederum durch größere Kraftfutter Rationen zur Verfügung gestellt werden muss.

Trotz aller Vorteile sollte man jedoch darauf achten, dass man sein Pferd nicht zu früh eindeckt und auch darauf, dass man ihm im Winter an sonnigen Tagen die Möglichkeit bietet einen Tag ohne die Decke zu verbringen. Denn auf Dauer kann das Eindecken dazu führen, dass sich Scheuerstellen bilden, die dann wiederum andere Probleme hervorrufen. Ist zum Beispiel erst einmal der Wiederrist wund gescheuert, oder die Schulter ohne Fell, so kann dies auch die alltägliche Arbeit mit dem Pferd beeinflussen und dazu führen, dass das Pferd die Decke nicht mehr tragen möchte, weil es damit unangenehme Bewegungen und Gefühle auf der Haut in Verbindung bringt.

Ebenfalls sollte man berücksichtigen, dass ein Pferd welches zu früh im Herbst zu dick eingedeckt wird unter Umständen kein ausreichend dickes Winterfell entwickelt. Hat man seinem Pferd durch das dauerhafte Tragen einer Decke, die Möglichkeit auf ein gutes Winterfell genommen, so muss man den Rest des Winters weiterhin eindecken, damit das Pferd nicht friert. Ist dieser Fall eingetreten, so ist die Passform der Decke noch viel wichtiger damit keine Scheuerstellen entstehen. Von Vorteil ist natürlich das dünnere Winterfell, wenn das Pferd auch im Winter gearbeitet wird und dabei nicht so viel schwitzen soll.

Als eine Art Grundausstattung sollte über eine Abschwitzdecke mit Keramikfasern, eine Regendecke mit Fleeceinnenfutter bzw. einem anderen Aufbau, der für die Verwendung auf einem nassen Pferd geeignet ist und eine Winterdecke mit mittlerer Fütterung nachgedacht werden. Welche Decken man tatsächlich benötigt, hängt nicht zuletzt vom Pferd selber, der Witterung und der Haltungsform ab. Hat man nun festgestellt, welche Decken man für seinen Vollblüter benötigt, steht noch die Überlegung an, ob man die nassen Decken im Stall trocken bekommt oder ob man sie mit nach Hause nehmen muss. Es kann also durchaus sein, dass man ganz schnell drei verschiedene Decken in jeweils doppelter Ausführung gekauft hat.

Grundsätzlich sollte man sich tatsächlich auch bei einem Vollblüter, genau wie bei jedem anderen Pferd, mit der Thematik des Eindeckens und ihren Vor- und Nachteilen auseinandersetzen bevor man eine Entscheidung trifft.

Es ist auch immer zu berücksichtigen, dass alte oder kranke Pferde vielleicht eine Decke benötigen, auch wenn dies bisher nie der Fall war. Die Entscheidung steht bei diesem wie bei jedem anderen Thema natürlich jedem Pferdehalter selber zu.

Ich möchte in diesem Kapitel nur darauf hinweisen, dass ich selber nie Fan vom Eindecken gewesen bin, meine Vollblut Stute jedoch tatsächlich hinterher besagte sechs Decken besaß und wir damit super zurechtgekommen sind. Auch, wenn ich die Decken nur sehr dosiert eingesetzt habe und sie sie gefühlt jeden Winter weniger gebraucht hat.

10.0. GRUNDSÄTZE FÜRS VOLLBLUTTRAINING

In diesem Kapitel geht es noch nicht um konkrete Übungen, die man mit seinem Vollblüter frisch von der Rennbahn bestreiten soll. Sondern es geht um eine grundsätzliche Idee, was bei diesen intelligenten und sensiblen Pferden wichtig und notwendig ist. In meinen Augen unterscheidet sich diese Idee nicht grundsätzlich von der bei anderen Pferden aber es ist je nach Temperament und bereits gemachten Erfahrungen des einzelnen Pferdes bei den ehemaligen Rennpferden deutlich mehr Arbeit zu investieren als bei Pferden die das Leben als aktives Rennpferd nicht kennengelernt haben.

Eine der aller größten und wichtigsten Lektionen ist es das gegenseitige Vertrauen aufzubauen. Dazu gehört viel Zeit miteinander zu verbringen und sich gegenseitig kennen und einschätzen zu lernen.

Foto 13 - Quelle: J. Sieger

Ein Vollblüter ist kein „nebenbei Pferd", es ist wichtig mit diesem Tier zu arbeiten, je mehr ein Vollblüter gefördert und gefordert wird, umso cooler wird er. Das bedeutet natürlich nicht, dass man sein Pferd jeden Tag stundenlang arbeiten muss. Auch gemeinsame Spaziergänge und ausgiebiges Putzen sowie Bodenarbeit sind hervorragend dafür geeignet eine mentale Auslastung zu erreichen und dabei weiterhin an der gemeinsamen Beziehung zu arbeiten. Bei aller Motivation sollte man sein Pferd trotzdem nicht überfordern. Denn Druck und Leistung bringen müssen sind diesen Pferden nur allzu bekannt. Daher kann man mit falschem Ehrgeiz auch sehr schnell sehr viel kaputt machen. Deshalb sollte jeder Pferdemensch seinem Pferd zuhören und erfühlen können, ob sich eine Aufgabe oder eine Trainingsidee für Pferd und Mensch gut anfühlt. Wer mit einem Pferd von der Rennbahn zu einem Team zusammenwachsen möchte, sollte über ausreichend Geduld und innere Ruhe für sein Pferd und sich selber verfügen. Das macht vieles einfacher und sorgt für eine gewisse Entspannung, wenn man noch an der Coolness seines hochblütigen neuen Partners arbeitet. Eine gehörige Portion Gelassenheit zusätzlich haben die meisten Pferde von der Rennbahn dringend nötig, denn die Geduld ist bisweilen spätestens beim Stillstehen ziemlich schnell am Ende.

Wer in der Beziehung zwischen Pferd und Mensch das Leittier ist, sollte erst einmal vom Boden aus geklärt werden. Denn wenn das Pferd gelernt hat, dass der neue Mensch in seinem Leben immer wiederkommt, sich mit ihm beschäftigt und einen guten und zuverlässigen Partner abgibt, so wird es eher bereit sein das Abenteuer der vollkommen neuen Reitweise zu wagen.

Auch wenn es einmal Tage gibt, an denen man sein Pferdchen „in den Pfeffer" wünschen mag, sollte man immer versuchen fair zu bleiben. Hat man selber einen schlechten Tag, so ist es manchmal besser sein Pferd nur auf der Wiese zu besuchen, zu kontrollieren, ob alles in Ordnung ist und es dann wieder zu verlassen. Es bringt gerade am Anfang einer neuen Pferd Mensch Beziehung nichts, wenn man sich auf Teufel komm raus mit seinem Pferd anlegt. Ist der Tag mit dem Pferd eine Katastrophe, so sollte man sich fragen warum. Die Antwort kann dabei nicht sein „der doofe Gaul wollte mich ärgern". Auch wenn es manchmal so aussehen mag, so sind solche Gedankengänge beim Pferd nun wirklich nicht zu erwarten. Wenn ein Pferd auf eine bestimmte Weise reagiert, dann hat das IMMER einen bestimmten Grund und unsere Aufgabe ist es diesen Grund aufzuspüren und zu beheben. Es ist hierbei vollkommen egal, ob das Pferd eine bestimmte Übung nicht verstanden, einen bestimmten Ort als gruselig empfunden oder gar Schmerzen hat. Es möchte mit seiner Reaktion seinen Menschen niemals absichtlich auf die Palme bringen, sondern immer etwas mitteilen.

In solchen Situationen sollte immer berücksichtigt werden, dass das Pferd auch unerwünschtes Verhalten zeigen kann, weil es in diesem Moment die Emotionen seines Menschen spiegelt. Vollblüter sind oft noch sensibler, als andere Pferde und erfühlen die Emotionen ihres Menschen meist schon bevor diesem selber klar ist, wie er sich gerade fühlt. So kann kaum ein Pferd die Ruhe selbst sein beziehungsweise bleiben, wenn der Mensch einen beschleunigten Herzschlag hat, weil er sich fürchtet oder nervös ist. Folglich sollte man bei der Überlegung, wo ein Problem herkommt nicht nur das Pferd und die Umgebung, sondern auch sich selbst im Blick haben.

Selbst, wenn gefühlt gerade gar nichts klappt, wenn ein Moment der Ruhe entsteht, in dem man aus der Situation auf welche Weise auch immer rausgekommen ist und das Pferd seinen Menschen anstupst oder sich dicht zu ihm stellt und „um Verzeihung bittet" und sich seinem Menschen wieder anschließen möchte, dann ist es egal wie sehr man sich vorher geärgert hat oder wie enttäuscht man gerade noch war. In diesem Moment muss das Geschenk des Pferdes auf jeden Fall angenommen werden. Auch, wenn es einem gerade noch so schwerfällt. Es in diesem Moment wegzuschicken oder gar verärgert zu reagieren würde an der neuen Beziehung und dem Vertrauensverhältnis zwischen Pferd und Mensch eine Menge zerstören. Gibt das Pferd also zu verstehen, dass es sich gerne wieder seinem Menschen anschließen würde dann muss es belohnt werden. In einem solchen Moment kann man sich freuen, denn dann hat man schon einen der wichtigsten Schritte des gemeinsamen Weges gemeistert. Denn das Pferd hat erkannt, dass der neue Mensch es wert ist, sich ihm anzuschließen, auch wenn die Situation gerade noch aus welchem Grund auch immer unangenehm war.

Besser als sich hinterher wieder zusammen zu tun ist natürlich den Punkt vor dem Chaos zu finden und mit der Trainingseinheit aufzuhören, bevor etwas schiefläuft. Man sollte sein Pferd beim Lernen neuer Sachen zwar fordern aber niemals überfordern und zu etwas zwingen lassen sich diese Pferde erst recht nicht. Also muss dem Pferd eine Aufgabe auf eine Art und Weise erklärt werden, die es verstehen kann. Eine souverän und mit der notwendigen Ruhe vorgestellte Aufgabe wird von einem Exgalopper am ehesten angenommen und verstanden. Klappt das mit der Ruhe gut und das Pferd lernt zuzuhören und nicht hektisch zu werden, wird es die Bemühungen seines Menschen mit einer unerschütterlichen Treue danken.

Trotz allen Trainings und aller Aufgaben die man sich und seinem Pferd gestellt hat sollte man von seinem Pferd niemals willenlosen Gehorsam verlangen. Wer das erwartet sollte besser auf einen Drahtesel steigen, anstatt ein Pferd zu reiten. Natürlich ist es enorm wichtig, dass das Pferd in bestimmten Situationen ohne zu zögern das tut was der Reiter vorgibt, wie etwa beim Überqueren einer Straße. Genauso wichtig ist es aber, dass das Pferd in gewissen Situationen in der Lage ist die Führung zu übernehmen. Dies gilt zum Beispiel im Dunkeln, da sehen Pferde deutlich besser als Menschen, auf schwierigem Waldboden in unbekanntem Gelände oder wenn es steil bergauf / bergab geht. Ist man in einer solchen Situation gelandet, so sollte man sich ein Herz fassen und dem Pferd soweit vertrauen, dass es selber entscheiden kann, was in diesem Moment für das sichere Vorankommen das Beste ist. Dieses gegenseitige Vertrauen und die Gewissheit auf beiden Seiten, dass man sich auf den jeweiligen Partner verlassen kann, ist nur zu erreichen, wenn es klare jedoch liebevolle Regeln gibt, die zu jeder Zeit befolgt werden und sehr viele gemeinsame Stunden ins Land gegangen sind. Das Pferd wird lernen, dass eine vermeintliche Gefahr nicht schlimm ist, solange der Mensch / Reiter ruhig bleibt. Dafür muss der Pferdemensch lernen in unübersichtlichen oder unbekannten Situationen so entspannt wie möglich zu bleiben, damit er seinem Pferd die notwendige Sicherheit auch vermitteln kann. Ein Vollblut schöpft seine Ruhe und Gelassenheit aus der seines Menschen. Wird der Mensch hektisch und unsicher, wird sich das Pferd nicht darauf verlassen, dass was auch immer es gerade ist gut ausgeht, es wird selber entscheiden und bei Gelegenheit sein Temperament hochkochen lassen oder in den Fluchtmodus schalten.

Also sollte man in der Arbeit mit einem Exrennpferd immer die folgenden Grundsätze beachten:

- immer die Ruhe bewahren,
- sein Pferd langsam an alles Neue heranführen,
- immer dieselben Regeln befolgen,
- seinem Pferd einen gewissen Vertrauensvorschuss anbieten, damit es sich seinerseits das Vertrauen des Menschen erarbeiten kann

Ich nenne diese Idee liebevolle Konsequenz und betone an dieser Stelle, bei allem was man tut, darf niemals vergessen werden: Ein Pferd vergisst nichts aber es kann alles verzeihen!

Abbildung 1 - Quelle: Privat

11.0. UMSCHULEN SCHRITT FÜR SCHRITT

11.1. Die Arbeit vom Boden

Bodenarbeit und Gelassenheitstraining stärken das Vertrauen zwischen Pferd und Reiter und sorgen dafür, dass beide sich kennen und einschätzen lernen. Beides sollte nicht zu kurz kommen und man sollte sich nicht davor scheuen das erste halbe / dreiviertel Jahr viel mit dem Pferd zu Fuß zu gehen, um Vertrauen aufzubauen.

Die folgenden Übungen sind nicht unbedingt in dieser Reihenfolge zu trainieren. Es ist aber natürlich sinnvoll, wenn Anhalten und Führen gut klappt, bevor man sich an potenziell gruselige Dinge aus dem Gelassenheitstraining wagt. Oft macht es auch Sinn mehrere Dinge parallel zu üben, damit man nicht jeden Tag vor derselben Aufgabe steht, denn dies ist für Pferd und Mensch gleichermaßen sehr schnell langweilig und ermüdend.

Foto 14 - Quelle: Privat

Je mehr Gelassenheit im heimischen Umfeld geübt wird, desto weniger aufregend werden Dinge zum Beispiel beim Ausreiten sein.

Von Traktoren, Kindern, Hunden die beispielsweise um den Reitplatz springen, sollte man sich nicht abschrecken lassen. Alles, was das Pferd in Ruhe kennen lernt und sich ausgiebig angucken kann, wird eine potenzielle Gefahrenquelle im Umgang weniger.

Das Pferd lernt auch, dass es sich auf seinen Menschen verlassen kann. Die diversen Aufgaben die man gemeinsam mit seinem Pferd meistert, können die Position des Leittiers Mensch untermauern und das Pferd lernt durch gut strukturiertes arbeiten und die immer wiederkehrenden Belohnungen und Erfolgserlebnisse, dass sein Mensch ein gutes Leittier abgibt.

Darüber hinaus trainieren diese Übungen auch wunderbar die Koordination und das Körpergefühl des Pferdes, was einem im späteren Verlauf der Umschulung auch beim Longieren und Reiten zu Gute kommt.

Generell gilt jedoch man sollte nie zu viel auf einmal erwarten. Ein ehemaliges Rennpferd muss vollkommen umdenken, wenn es zum Freizeitpferd werden soll. So müssen auch die kleinsten Fortschritte gelobt werden.

Alles was das Pferd seinem Menschen anbietet ist ein Geschenk und darf keinesfalls als Selbstverständlichkeit betrachtet werden.

11.1.1. Abstreichen des Pferdes

Die erste wichtige Lektion ist das Abstreichen des Pferdes. Sie sollte ganz zu Beginn der gemeinsamen Arbeit stehen. Zunächst wird das Pferd mit der flachen Hand mit einem angenehmen Druck berührt, als wenn es gestreichelt werden soll. Diese Bewegung sollte immer in Fellwuchsrichtung erfolgen und am Hals beginnen. Von da aus kann man sich die Rückenlinie entlangarbeiten über die Rippen am Bauch entlang, über die Hinterhand, die Beine runter und auch am Kopf entlang. Das Ziel soll sein, dass das Pferd sich immer und überall anfassen lässt.

Ja nach Reaktion des Pferdes kann diese Übung Schritt für Schritt gesteigert werden. Wichtig ist immer erst einen neuen Bereich zu erkunden, wenn das Pferd den letzten gelassen hinnimmt und dabei locker bleibt. Zunächst sollte man bei den teilweise sehr aktiven und teils nervösen Vollblütern nicht unbedingt darauf bestehen, dass sie während der Übung ewig lange stillstehen, denn dann würde man schon das Anfassen und das Stillstehen verlangen. Das kann für den Anfang zu viel sein. Auch wenn Bewegung ins Pferd kommt, muss es entspannt bleiben.

Für manch einen Exgalopper wird diese Übung eine willkommene Entspannungseinheit mit seinem, ihn mit sanften Händen abstreichenden, Menschen sein. Da wird die Berührung von Anfang an kein Problem sein und die Aufgabe ist schnell erledigt. Bei einem anderen kann das schon ein gutes Stück Arbeit sein, bis sich das Pferd in Ruhe überall anfassen lässt. Hier ist der beste Weg, viel Ruhe, nicht zu viel auf einmal verlangen und immer geduldig weiter üben. Irgendwann wird sich das Pferd auch am Kopf, den Beinen oder an den Flanken anfassen lassen.

Es sollte nur darauf geachtet werden, dass nicht jedes Pferd eine große Schmusebacke ist, die sich gerne Stundenlang im Gesicht begrabbeln lässt. Das sollte man berücksichtigen und ausreichend Feingefühl zeigen, um solche Eigenschaften seines Pferdes nicht zu übergehen. Das Pferd muss sich überall anfassen lassen, was zum Beispiel auch für die Behandlung potenzieller Verletzungen sehr wichtig ist. Es muss aber nicht stundenlang den Kopf hinhalten, wenn es das nicht mag.

11.1.2. Gewöhnung an neue Gegenstände

Eine weitere wichtige Übung ist die Schritt für Schritt Gewöhnung an alle neuen Gegenstände. Hierbei ist es egal worum es sich handelt.

Das Pferd sollte mit neuen Dingen nicht überfallen werden. Es sollte die Dinge in Ruhe betrachten, beschnuppern und untersuchen können. Nähert es sich freiwillig und frisst vielleicht sogar ein Leckerchen von dem neuen

Gegenstand, so kann man im nächsten Schritt das Abstreichen wie zuvor beschrieben ausführen. Man kann das Pferd mit der zum Beispiel neuen Decke oder der Gamasche abstreichen, bis es die Berührung wieder entspannt hinnimmt.

Erst dann sollte man diese Dinge aufs Pferd bringen oder an ihm befestigen.

Manchmal kann es auch hilfreich sein, wenn man neue Reize in bekannte Situationen einbaut. Hat das Pferd beispielsweise Angst vor Sprühflaschen, so kann es zur ersten Gewöhnung hilfreich sein, einen Slalom aus den fürchterlichen Flaschen aufzubauen. Natürlich nur, wenn das Pferd einen Slalom schon kennt. So wird der Anblick der Sprühflaschen nach und nach nicht mehr für Erschrecken sorgen.

11.1.3. Rückwärtsrichten vom Boden

Das Rückwärtsrichten vom Boden aus ist eine wunderbare Übung. Es klärt die Rangfolge zwischen Pferd und Mensch ohne das die Atmosphäre zwischen Pferd und Mensch kippt. Denn der Ranghohe schickt den Rangniederen. Das Pferd weicht nur rückwärts vor einem ranghohen Tier aus. Zum Rückwärtsrichten sollte der Mensch sich auf Kopfhöhe seinem Pferd frontal zuwenden und es über die Energie des eigenen Körpers und der eigenen Bewegungen zurückschicken. Diese Bewegung auf das Pferd zu muss überzeugt und nicht zögernd sein. Zur Unterstützung kann anfangs das Pferd mit dem Zeigefinger an der Brust angetippt werden und auch ein Stimmkommando wie „Back" oder „Zurück" macht Sinn. Anfangs sollte jede Idee zum Rückwärts belohnt und der Druck aus der Übung genommen werden. Verlagert das Pferd also sein Gewicht nach hinten oder setzt ein Bein zurück ist das für den Beginn genug und wird sofort belohnt. Nach und nach können immer mehr Schritte rückwärts gefordert werden. Das Pferd sollte lernen mit lockerem, tiefem Hals rückwärts zu treten, denn dann wird der Rücken rund und das Becken abgekippt und man erhält eine schöne gymnastizierende Wirkung.

Trotz aller Vorteile, sollte man es mit dieser Übung nicht übertreiben, da sie wie bereits erwähnt jedes Mal die Unterordnung des Pferdes verlangt. Diese würde ein ranghohes Pferd auch nicht öfter fordern als sie notwendig ist.

11.1.4. Stillstehen

Die Idee des Stillstehens ist etwas, dass sich vom Boden wie vom Sattel aus festigen sollte. Je nach Charakter und Temperament des Vollblüters ist diese Übung ein wahres Geduldspiel. Dennoch sollte diese Übung nicht vernachlässigt werden, da es in vielen alltäglichen Situationen vorteilhaft oder sogar unerlässlich ist, dass das Pferd zuverlässig stehen bleibt.

Zu Beginn sollte man vom Boden aus das Stimmkommando zum Anhalten geben und durch Körperhaltung und ein Zupfen am Führstrick dem Pferd verstehen zu geben, dass es anhalten möge. Bleibt das Pferd stehen, wird es sofort ausgiebig gelobt und wieder angeführt. Nach und nach sollte die Zeit des Stehens gesteigert werden. Optimal ist es die Zeit zwar zu steigern, jedoch weiterzugehen, bevor das Pferd eigenmächtig entscheidet wieder los zu gehen. Auch bei dieser Übung ist viel Geduld gefragt.

Foto 15 - Quelle: Privat

Es kann sinnvoll sein bei dieser Übung mit Futterlob zu arbeiten, wird das Pferd zu schnell unsicher, wenn es nur stillstehen soll, so kann man ihm ein Leckerchen anbieten. Durch das Kauen ist das Pferd kurz beschäftigt und entspannt sich kurzzeitig.

Die gleiche Übung sollte später auch unter dem Sattel erfolgen, damit das Pferd im späteren Verlauf der Ausbildung auch sicher zum Beispiel an einer Straße warten kann.

Bei Kommandos, die auch für andere Menschen im Umgang mit dem Pferd wichtig sein können wie zum Beispiel dem zum Anhalten, sollten dem Pferd die verschiedensten Begriffe beigebracht werden. Sitzt das Anhalten mit dem Kommando, das man selber verwenden möchte, so kann man beginnen auch mit Halt, Stopp, Steh, ho oder ähnlichem zu üben. Egal welche Ansage zum Beispiel vom Stallpersonal oder dem Personal in einer Tierklinik kommt, wenn das Pferd auch diese Begriffe zu Hause in Ruhe gelernt hat, wird das Handling und der Umgang miteinander für alle Beteiligten einfacher.

11.1.5. Führen

Eine der Übungen, die die meiste Konsequenz erfordert, ist das Führen des Pferdes. Auch, wenn gerade diesem Teil der Pferdeausbildung oft am wenigsten Bedeutung geschenkt wird.

Das Pferd sollte lernen, mit seinem Kopf auf Höhe der Schulter seines Menschen zu laufen, diese Führposition hat im Vergleich zu den Positionen weiter vorne beziehungsweise weiter hinten viele Vorteile. Sehen wir uns zur Verdeutlichung dieser Vorteile einmal die Nachteile der beiden anderen Führpositionen an.

Führt man ein Pferd, indem man frontal vorgeht, so läuft man Gefahr, dass einen das Pferd in einer Schrecksituation schon mal unsanft von hinten anrempelt. Außerdem hat man keine Chance die Körpersprache des Pferdes zu berücksichtigen und bemerkt die feinen Zeichen die einem das Pferd zukommen lässt nicht, sodass man sich nicht wundern braucht, wenn das Pferd aus seinem Fluchtreflex heraus plötzlich losspringt und man davon vollkommen überrascht wird.

Führt man auf Schulterhöhe des Pferdes, so wie es vieler Orts gelehrt wird, so gesteht man dem Pferd zu, dass es derjenige ist der vorgeht. Beobachtet man Pferde an einem engen Durchgang, so wird man feststellen, dass immer das ranghöhere Pferd vor dem rangniederen die Engstelle passiert. Führt man also auf Schulterhöhe, gibt man als Mensch in diesem Moment die höhere Position in der Rangfolge seinem Pferd gegenüber auf.

Dies kann nicht das Ziel sein, denn dann darf man sich nicht wundern, wenn das Pferd losstürmt, vorrennt, sich gar losreißt, wenn es nicht in die gewünschte Richtung geht oder sonstige Respektlosigkeiten zeigt.

Bleibt man also dabei, dass das Pferd mit seinem Kopf auf der Höhe der eigenen Schulter bleibt, so ist man in dieser Position weit genug vorne, um dem Pferd zu verdeutlichen, dass man selber der ist, der den höheren Rang bekleidet. Somit ist auf jeden Fall schon mal geklärt, dass der Mensch vorgeht. Diese Position muss dem Pferd immer wieder verdeutlicht werden und es ist zum Erfolg der Führübung besonders wichtig, dass diese Führposition immer gilt. Besonders bei Stalltüren, Weidetoren und ähnlichen Engstellen ist es wichtig konsequent zu bleiben auch wenn das Pferd auf die Weide zurück möchte oder in der Box vielleicht schon das Abendessen wartet.

Foto 16 - Quelle: Privat

Wenn das Pferd aus welchem Grund auch immer drängelt oder in der Position zu weit nach vorne läuft, dann wird in Ruhe angehalten und das Pferd wird rückwärts wieder in die Position geschoben, in der man es haben möchte. Ist das Pferd wieder in der richtigen Position angekommen wartet man kurz, bis das Pferd in Ruhe in dieser Position steht und geht dann weiter.

Diese Übung sollte einem in Fleisch und Blut übergehen, dabei ist es egal, ob man sein Pferd nur in die Reithalle führt oder ob man zwei Stunden spazieren geht. Denn nur so hat das Pferd eine Chance sich in seiner Position zurechtzufinden. Je besser das geübt ist und je sicherer das Pferd weiß, dass sein Mensch vorgeht, umso besser wird sich dieses auch abrufen lassen, wenn unerwartete Dinge passieren.

Für den Fall der Fälle, in dem das Pferd doch mal vorgehen soll, sollte man das Kommando „geh vor" einführen. In einer solchen Situation wird dem Pferd optisch deutlich Platz gemacht und es wird mit dem Vorstrecken der Führhand auch auf dem Weg an einem vorbei begleitet. Soll das Pferd also vorgehen, weil man beispielsweise hinter sich das Weidetor schließen möchte, so bleibt man am Weidetor stehen, öffnet es, geht vorne um sein Pferd herum. Bis hierhin sollte es stillgestanden und gewartet haben. Nun hält man mit einer Hand das Tor fest und mit der anderen am langen Strick weist man seinem Pferd die Richtung in die es vorgehen soll und gibt das Kommando „geh vor". Nun tritt das Pferd an einem vorbei, sobald man das Tor schließen kann gibt man das Kommando zum Anhalten, schließt das Tor und geht wieder auf seine normale Führposition zurück.

Alternativ kann man seinem Pferd auch beibringen, dass es sich nach dem Durchschreiten des Engpasses zu einem herum umdreht. Hier bietet sich das Kommando „umdrehen" an. Dieses kann dann mit einem leichten Annehmen des Führstricks begleitet werden, um dem Pferd anzuzeigen, in welche Richtung es umdrehen soll.

Ganz besonders wichtig ist hier, dass das Pferd nicht lernt das es an gewissen Stellen immer vorgehen darf. Vorgegangen wird vom Pferd nur auf das eindeutige Kommando. Ansonsten geht der Mensch vor und das Pferd folgt.

Diese Abfolge von Bewegungen und Kommandos sollte man in Ruhe auf dem Reitplatz oder in der Halle mit einem Gatter oder einem aufgebauten Engpass üben, damit das Pferd weiß, was erwartet wird. Außerdem ist es in solch einer Übungssituation nicht schlimm, wenn etwas nicht klappt oder das Pferd doch zu hektisch wird.

Gerade beim Einüben solcher Kommando- und Bewegungsabfolgen wird man feststellen wie intelligent und lernwillig Vollblüter sind, solange sie in Ruhe angeleitet werden und ausreichend Lob erfahren, wenn sie etwas richtigmachen.

11.1.6. Wegschicken / Widerholen

Bei der freien Arbeit egal ob auf dem Platz, in der Halle oder im Longierzirkel muss man sein Pferd wegschicken können, da es sich sonst ja nicht bewegt. Auch diese einfache Basisübung ist sehr wichtig, da man sein Pferd nur wirklich schicken kann, wenn es akzeptiert, dass man das Sagen hat.

Bei den Vollblütern von der Rennbahn gestaltet sich das Wegschicken meist sehr einfach, da sie sich mit viel mehr Begeisterung bewegen als so ziemlich jedes andere Pferd. Löst man also Longe oder Führstrick und gibt ein Kommando zum Loslaufen, so wird sich ein Vollblüter in der Regel direkt in Bewegung setzen. Hier ist es sinnvoll, darauf zu achten nicht in der direkten Bewegungsrichtung des Pferdes zu stehen und auch mit dem Übermut des Vollblüters zu rechnen. Trotz aller freiwilligen Bewegung und Begeisterung des Pferdes sollte man ein eindeutiges Kommando geben, auf welches das Pferd auch warten soll. Kommt einem das Pferd beim Laufen zu nahe oder bedrängt einen sogar, so macht man sich groß, nimmt unter Umständen beide Arme hoch, wedelt mit Strick oder Peitsche und macht einen Schritt auf das Pferd zu. Auch ein striktes „Hey" wirkt bisweilen Wunder. Nach Möglichkeit wird der eigene Platz so überzeugend verteidigt, dass man dem Pferd gegenüber nicht zurückweichen muss, denn dies würde wieder daran rütteln, wer wen bewegt und diese Diskussion möchte man ja grundsätzlich lieber vermeiden.

Läuft das Pferd nun brav von einem weg, so stellt sich als nächstes die Frage des Wiederholens. Hier eignet sich meist ein Pfiff ganz gut, der dem Pferd immer signalisiert: Komm zu mir zurück. Ein Pfiff hat den enormen Vorteil, dass Galopper auf der Bahn lernen, dass sie auf Pfiff die Arbeit beenden beziehungsweise durchparieren sollen. Je nach Trainingsstall gilt der Pfiff auch als Start und Endzeichen des Galopps. Dieses Zeichen ist in der Welt der Galopper so allgemeingültig, wie das Küsschen bei den Westernpferden zum Angaloppieren.

Zusätzlich zu diesem akustischen Signal muss natürlich auch die eigene Körperhaltung passen. Also nimmt man den Fokus seines Blicks vom Pferd, dreht sich halb seitlich vom Pferd weg und senkt den Blick. Auf diese Einladung hin soll das Pferd lernen zu seinem Menschen zurückzukommen. Manchen Pferden fällt es auch leichter sich ihrem Menschen wieder zuzuwenden, wenn dieser sich hinhockt. Hier muss natürlich die notwendige Vorsicht gewahrt werden. Es macht keinen Sinn, sich bei einem eh schon vollkommen unkontrollierten Pferd auch noch in die Hocke zu begeben. Hier muss sich jeder fragen, ob sein Pferd eher selber die Führung übernehmen möchte oder ob es eher sensibel und vorsichtig ist. Zu Beginn dieser Arbeit kann man so man das denn möchte sein Pferd mit einem Leckerchen belohnen, wenn es fein erschienen ist. Später erfolgt das Lob nur noch mit Worten und Streicheleinheiten. Sind der Pfiff und die darauffolgende Belohnung, egal welche Form sie denn nun hat, gefestigt genug, so kann man das Glück haben, dass es sogar beim Abholen des Pferdes von der Weide klappt, so dass man nicht jeden Tag über die Wiese stiefeln muss, um sein Pferd einzusammeln.

11.1.7. Kommandos formulieren

Generell gilt gleiche Kommandos zu gleichen Erwartungen. Das Pferd muss wissen, was man auf ein bestimmtes Kommando hin erwartet.

Formuliert man Kommandos als Frage, wie „Kommst du?" kann das sinnvoll sein, da der Tonfall in einer Frage freundlicher und somit für das Pferd einladender ist.

Aber trotz der Formulierung als freundliche Frage ist und bleibt das gesagte eine Anweisung die das Pferd zu befolgen hat! Die Antwortoption „Nein" gibt es grundsätzlich nicht. Auch, wenn man immer auf Einwände von seinem Pferd reagieren sollte. Es gibt nun einmal Übungen, die einem Pferd nicht liegen oder Situationen, die ein Pferd anders erlebt, als der Mensch.

Auch wenn Anweisungen die der Mensch gibt immer befolgt werden sollten, darf niemals ignoriert werden, wenn das Pferd signalisiert, dass es etwas nicht tun möchte. Hier ist es die Pflicht des Pferdemenschen zu ergründen warum das Pferd sich widersetzt. Hat es die Aufgabe noch nicht verstanden, sitzt das Kommando noch nicht, ist es überfordert oder tut ihm gar etwas weh? Ein Pferd ist nun mal kein Gegenstand, sondern ein Lebewesen mit eigenen Ideen und Emotionen. Dies darf niemals vergessen werden, sonst ist eine wahre Partnerschaft nicht möglich.

11.1.8. Der Belohnungston

Ein Belohnungston ist ebenfalls sehr hilfreich und kann in vielen Situationen helfen das Pferd zu belohnen oder zu entspannen. Hat ein unter Umständen zu Temperamentausbrüchen neigender Exgalopper gelernt, dass es auf die Ansage „Gut so“ oder „Prima“ eine Leckerei und Streicheleinheiten oder ein anderes Lob gibt, so kann man dieses Pferd auch in Schrecksituationen damit beruhigen und die Aufmerksamkeit wieder auf den Menschen zu lenken.

Ertönt dieses Geräusch immer, wenn das Pferd etwas gut macht und entsprechend belohnt wird, wird auf Dauer schon das Geräusch als Belohnung und Beruhigung reichen.

> Dieses Lernmodell nennt man klassische Konditionierung (nach Pawlow). Im Rahmen der klassischen Konditionierung erlernt der Lernende, also in unserem Fall das Pferd, dass auf einen bestimmten Reiz ein bestimmtes Resultat folgt. Der Reiz ist hier der Belohnungston und das Resultat ist eine angenehme Situation für unseren Vollblüter, also das Lob egal in welcher Form es erfolgt.

11.1.9. Der Ermahnungston

Man sollte einen Laut einführen, bei dem das Pferd genau weiß: Das gefällt meinem Menschen aber gar nicht! Hierzu eignet sich gut ein ungehaltenes energisches „Hmmmm" ebenfalls denkbar wäre ein strenges „Hey". Welches Geräusch oder Wort man benutzt ist eigentlich egal, wichtig ist wieder, es muss immer dasselbe Geräusch sein.

Anfangs sollte das Geräusch mit einer ruhigen Korrektur des unerwünschten Verhaltens erfolgen. Läuft das Pferd beispielsweise zu weit vor, ertönt der Ermahnungston, reicht dies nicht, wird am Strick gezupft und der Ermahnungston erfolgt erneut. Sollte auch das nicht reichen, so wird das Pferd über rückwärtsrichten und anhalten korrigiert. Wird bei Korrekturen immer so verfahren, wird das Pferd irgendwann gelernt haben, warum der Mensch unzufrieden ist und was stattdessen erwartet wird.

Auch vor einem kräftigen verbalen Donnerwetter sollte man sich nicht scheuen, trotz aller Liebe, Geduld und Ruhe muss „das Wort zum Sonntag" erfolgen, wenn es denn notwendig ist. Laut schimpfen in Kombination mit einem Rückwärts schicken ist meist eine effektive Geschichte. Körperliche Angriffe auf seinen hochsensiblen Vollblüter sollte man sich auf jeden Fall verkneifen. Wie natürlich auch bei jedem anderen Pferd. Denn keinem Lebewesen, also auch keinem Pferd, darf man jemals absichtlich Schmerzen zufügen.

Darüber hinaus könnte diese Vorgehensweise schnell sehr gefährlich werden, wenn nämlich das Pferd beschließt sich auf Gewalt und körperliche Angriffe beziehungsweise ein echtes Kräftemessen einzulassen, sollte jedem Menschen klar sein, dass er das nur verlieren kann.

11.1.10. Liebevolle, konsequente Regeln

Die Konsequenz im Umgang mit dem Partner Pferd muss immer aufrechterhalten werden. Auch wenn es nach einem langen Arbeitstag manchmal schwerfällt sich durchzusetzen oder einem eher nach Kuschelkurs zu Mute ist.

Aber durfte das Pferd zwei oder drei Mal in Folge beim Füttern doch drängeln oder schubsen, so wird es das in Zukunft auch weiter tun, egal ob man trainiert hatte, dass der Mensch nicht geschubst wird.

Da Pferde und Menschen eine nicht wirklich gemeinsame Körpersprache haben, ist es für das Pferd eine nicht zu geringe Aufgabe die Körpersprache des Menschen lesen zu lernen. Umso wichtiger ist es, seinem Pferd gegenüber, eine ganz klare Linie zu haben. So muss es nur die Körpersprache und die Kommandos seines neuen Menschen lesen lernen und muss nicht auch noch versuchen zu erraten, was genau der Mensch den in diesem Moment mit diesen Gesten meinen könnte.

Eine Regel die für ein Pferd aufgestellt wurde, muss immer Gültigkeit haben, denn nur so werden unsere Handlungen für das Pferd nachvollziehbar. Das heißt nicht, dass wir unserem Pferd nicht viel Liebe und auch ausgiebige Verwöhnprogramme schenken dürfen. Ganz im Gegenteil - jedes Pferd hat das Beste verdient. Dazu gehören aber eben auch konsequente und verlässliche Regeln. Was natürlich nicht heißt, dass man sein Pferd mit unsinnigen oder zu strengen Regeln traktieren soll. Aber je besser das Pferd weiß, woran es bei seinem Menschen ist, also je konsequenter der Mensch agiert, desto harmonischer wird die gemeinsame Zeit.

11.1.11. Plane

Ein ganz einfaches jedoch sehr vielfältiges Trainingsgerät ist eine große Kunststoffplane, sie passt in jeden Spind und ist für viele Übungen geeignet.

Man kann sie einfach auf den Boden legen und mit dem Pferd erarbeiten, dass es in Ruhe darüber läuft und auch darauf anhält.

Man kann das Pferd mit der Plane abreiben. Hierzu nimmt man die Plane gefaltet oder unregelmäßig zusammengefasst in eine Hand und nähert sich damit seinem Pferd. Zu Beginn sollte das Pferd die Plane untersuchen und daran riechen und sie anstupsen dürfen.

Foto 17 - Quelle: Privat

Zeigt es dabei keine Angst und bleibt ruhig bei seinem Menschen stehen, kann versucht werden das Pferd mit der Plane an der Schulter zu berühren. Ist dieser Versuch ebenfalls erfolgreich, so kann die Berührung nach und nach über den restlichen Pferdekörper ausgeweitet werden. Fängt das Pferd an zu flüchten, geht man entweder wieder einen Schritt zurück oder versucht den Körperkontakt zwischen Pferd und Plane aufrecht zu erhalten, bis das

Pferd kurz stillsteht. Diese zweite Variante kann je nach Temperament des Vollblüters schwer umzusetzen sein.

Foto 18 - Quelle: Privat

Klappt das Abreiben mit der Plane gut kann man das Pferd mit der Plane eindecken. Hierzu faltet man die Plane je nach Größe so zusammen, dass sie vom Format her einer Pferdedecke ähnelt. Ist das Abstreichen mit der Plane erfolgreich geübt, so sollte das Ablegen der Plane auf dem Pferderücken kein Problem mehr darstellen.

Foto 19 - Quelle: Privat

Foto 20 - Quelle: Privat

Ist auch das Ein- und Ausdecken mit dem Raschelgespenst kein Problem mehr, so kann man die Plane nicht seitlich vom Pferd nehmen, sondern über den Kopf nach vorne oder die Kruppe nach hinten ziehen. Diese Übung sollte allerdings erst in Angriff genommen werden, wenn das Pferd auch frei auf dem Platz brav stehen bleibt und bei den anderen Übungen mit der Plane bereit ist ein Nickerchen zu machen.

Foto 21 - Quelle: Privat

11.1.12. Bälletonne

Die Bälletonne ist eine Übung, die einfach Spaß machen soll und zusätzlich die Scheu vor Berührungen am Kopf reduziert.

Foto 22 - Quelle: Privat

Hierzu wird am besten ein großer Eimer oder ein Laubsack mit integrierten Ringen, der selber offen stehen bleibt mit Bällen aus dem Bällebad für Kinder gefüllt. Zu Beginn legt man die Leckereien die es bei dieser Übung zu erhaschen gibt oben auf die Bälle. Hier ist es von Vorteil, wenn man sein Pferd schon ein bisschen kennt und weiß, welche Leckereien besonders unwiderstehlich sind. Ist dem Pferd klar, dass es in dieser Tonne etwas zu essen gibt, so kann man die Leckereien tiefer in den Bällen verstecken, sodass das Pferd mit der Nase in den Bällen wühlen muss, um die Belohnung zu erreichen. Hier sollte man darauf achten, dass die Bälle auch wenn das Pferd mit dem Kopf darin wühlt durch das verdrängte Volumen des Pferdekopfes nicht höher gelangen als bis auf die Hälfte der Kopflänge. Ist dem Pferd auch dieser Teil der Übung bekannt kann man die Bälle langsam weiter auffüllen, bis das Pferd im späteren Trainingsverlauf bis an die Ohren in den Bällen verschwinden muss, um die Leckereien am Boden der Bälletonne zu erreichen.

11.1.13. Autoreifen

Eine gute Übung für Gelassenheit, Koordination und Körpergefühl des Pferdes ist die Arbeit mit alten Autoreifen. Hierzu legt man einen ausrangierten Autoreifen (ohne Felge) auf den Boden.

Foto 23 - Quelle: Privat

Nun nimmt man ein Bein des Pferdes hoch und stellt es vorsichtig im Reifen wieder ab. Manchmal bietet es sich an, am Anfang zu dieser Übung einen Helfer dazu zu bitten. So kann einer das Pferd festhalten und die zweite Person das Bein und den Reifen bewegen. Wichtig ist, dass gerade bei den doch teilweise sehr lebhaften Vollblütern immer damit gerechnet wird, dass sie plötzlich anfangen loszuspringen.

Sei es, weil sie am Reifen hängenbleiben, wenn sie das Bein wieder aus dem Reifen herausnehmen wollen oder wenn sie auf den Rand des Reifen treten und dieser am Pferdebein hochschlägt. Außerdem darf man nicht unterschätzen, was es für das Fluchttier Pferd bedeutet eines seiner Beine in ein unbekanntes Gefängnis zu stellen.

Klappt das erste Bein im ersten Reifen gut, so kann man einen zweiten Reifen hinzunehmen und ein zweites Bein hineinstellen. Wichtig ist, dass mit jedem Bein mit der gleichen Vorsicht und Geduld gearbeitet wird, wie mit dem ersten.

Foto 24 - Quelle: Privat

Je nachdem wie gut das Körpergefühl des Pferdes ist, ist der gefühlsmäßige Unterschied zwischen Vorder- und Hinterbein beziehungsweise linken und rechten Beinen für das Pferd so groß, dass es sich für das Pferd bei jedem neuen Bein um eine komplett neue Übung handelt. So kann man nach und nach weiterarbeiten, bis vier Hufe in vier Reifen stehen oder sogar vier Hufe in zwei Reifen stehen.

Foto 25 - Quelle: Privat

Ist das Pferd von den Autoreifen alleine schon zu beeindruckt, so kann vor der eigentlichen Aufgabe die Hufe hinein zu stellen erst einmal der Reifen ums Pferd herum und darunter hindurch gerollt werden.

Foto 26 - Quelle: Privat

Auch das Füttern durch den Reifen hindurch, sodass das Pferd die Nase durch den Reifen stecken muss eignet sich hervorragend, um die ersten Berührungsängste abzubauen.

Foto 27 - Quelle: Privat

Klappen alle diese Varianten gut, so können zwei Stangen parallel zueinander hingelegt werden. Zwischen diesen Stangen werden dann mehrere Reifen aneinander- und nebeneinandergelegt. Das Pferd soll nun durch diese Reifen gehen, während der Mensch neben der Stange her geht.

Foto 28 - Quelle: Privat

Bei einigen Bewegungskünstlern ist dann zu beobachten, dass sie ihre Hufe ganz gezielt zwischen und nicht in die Reifen setzen. Aber auch diese Abwandlung der Aufgabe erfüllt ihren Zweck, denn es geht ja schließlich darum, dass das Pferd sich in Ruhe und Geduld mit der Aufgabe befasst und seine Hufe gezielt zu setzen lernt. Ob es die Hufe nun gezielt in die Reifen oder gezielt neben die Reifen setzt ist hierbei eigentlich vollkommen egal.

11.1.14. Engpässe

Engpässe sind ein schöner Weg mit dem Pferd das Kommando „geh vor" zu üben. Zuerst geht man neben dem Pferd und dem Engpass her. Optimaler Weise ist der Engpass so aufgebaut, dass der Mensch neben dem Engpass hergehen kann, während das Pferd hindurchgeht. So zum Beispiel mit vier Sprungständern und zwei bis vier Stangen. Ist das Pferd in dieser Konstellation sicher, so kann man auch die Stangen noch mit Abschwitzdecken abhängen, sodass der Eindruck von einem massiven Hindernis verstärkt wird.

Dann kann man das Pferd vor dem Eingang zum Engpass parken und selber hindurchgehen und das Pferd hinter sich herholen. Hierbei muss unbedingt darauf geachtet werden, sich nicht von seinem Pferd umrennen zulassen, wenn es nicht auf das Kommando zum Folgen wartet oder im Engpass plötzlich flott wird. Der Strick mit dem man arbeitet sollte hier auf jeden Fall lang genug sein, um ausreichend Abstand gewährleisten zu können.

Klappt auch diese Variation gut, so kann das Pferd am langen Strick in den Engpass geschickt werden.

Bei Galoppern von der Rennbahn ist sehr wichtig, dass man sich vor Augen führt, dass der Aufenthalt in einem Engpass unter Umständen Erinnerungen an eine Startbox wecken kann. Wie so ein ehemaliger Sportler mit dieser Erinnerung umgeht und folglich reagiert ist immer sehr individuell.

Klappen alle diese Varianten gut, so sind sie in Kombination mit der nächsten Übung mit dem Holzbrett auch als Vorübung für stressfreies Verladen geeignet.

11.1.15. Holzbrett

Das Holzbrett wird einfach flach auf den Boden oder in einen Engpass gelegt. Nun wird das Pferd darüber geführt oder auch alleine darüber geschickt. Es soll sich mit dem anderen Klang seiner Schritte und dem unterschiedlichen Bodenbelag auseinandersetzen und dabei die Ruhe bewahren.

Foto 29 - Quelle: Privat

Der Klang der eigenen Hufe auf dem Holz ist ähnlich wie beim Verladen oder auch bei kleinen Brücken, die man unter Umständen beim Ausreiten treffen könnte.

Fortführende Übungen wären hierzu ein Podest, eine Brücke oder ein Steg wie sie im Trail bekannt sind.

Foto 30 - Quelle: Privat

Foto 31 - Quelle: Privat

11.1.16. Flatterband, Flattervorhang

Die Übungen rund um Flatterband und Flattervorhänge sind immer sehr gut für Reiter geeignet, die mit ihrem Pferd viel ins Gelände möchten. Denn dort kann man natürlich immer mal wieder auf Flatterband treffen. Hat das Pferd im heimischen Gelassenheitstraining seine Erfahrungen mit diesem bunten, knisternden und flatternden Plastik gemacht, so wird es sich nicht so sehr fürchten, wenn es einmal an einer Baustelle oder Ähnlichem vorbei muss.

Zu Beginn sollte mit einem einzelnen Stück Flatterband gearbeitet werden. Mit diesem Stück Flatterband kann man das Pferd abstreichen, es schwenken und damit wedeln, wenn das Pferd gelassen genug ist, kann man ihm das Flatterband auch einmal ans Ohr hängen.

Der Flattervorhang ist dann die Krönung in der Arbeit mit Flatterband. Hier werden verschieden lange Streifen Flatterband so aufgehängt, dass sie einen Vorhang in einem Torbogen bilden. Als Torbogen eignen sich zwei Dachlatten, die in Eimern einbetoniert sind und eine Latte für die obere Strebe an der das Flatterband befestigt wird.

Nun soll das Pferd mit seinem Menschen durch das Flatterband gehen. In Ruhe wird das Pferd an den Torbogen herangeführt, um den Start in diese Übung zu vereinfachen, kann man das Flatterband nach links und rechts außen schieben, sodass das Pferd dieses nicht unbedingt berühren muss. Anschließend wird für die nächsten Trainingsschritte das Flatterband immer weiter nach innen geschoben, bis wieder der ganze Torbogen von Flatterband ausgefüllt ist.

Man sollte immer darauf gefasst sein, ein losstürmendes Pferd an der Hand zu haben, wenn es sich denn entscheidet durch den Torbogen zu gehen.

Hier muss dann daran gearbeitet werden, dass das Pferd auch in Ruhe durch den Torbogen und das Flatterband geht und auch bereit ist darunter anzuhalten. Dies geht am besten mit viel Ruhe, Übung, Lob und Geduld.

11.1.17. Stangenwirrwarr

Für diese Übung nimmt man ein paar Hindernisstangen, gerne auch Kurze und legt sie kreuz und quer übereinander, sodass das Gebilde an ein Mikado erinnert. Dann führt man das Pferd bis an die Stangen heran und lässt es selber einen Weg durch das Hindernis suchen.

Foto 32 - Quelle: Privat

Bei dieser Übung ist es besonders wichtig, dass die Lektion „Vorausschicken" bereits gelernt ist. Die lose gestapelten Stangen können sich, bei Bewegung durch das Pferd, gegeneinander verschieben und somit besteht, wenn man zu zweit ist, also Pferd und Mensch gemeinsam durch das Hindernis gehen, die Gefahr sich gegenseitig die Stangen zwischen die Beine zu schubsen und entsprechend zu stolpern.

Auch bei dieser Übung gilt von einfach zu schwer, also bitte die Anzahl der Stangen und die Form des Durcheinanders langsam steigern, um auch hier keine Überforderung entstehen zu lassen.

11.1.18. Stangenübungen

In der Arbeit mit Stangen kann man mit seinem Pferd unendlich viele Dinge üben. Seitengänge, gezieltes Bewegen einzelner Beine, die Steuerungsfähigkeit jedes einzelnen Schrittes, anhalten und stehen bleiben bis ein anderes Kommando kommt, sind nur einige Dinge, die mit Stangen möglich sind. Zusätzlich können auch Koordination, Muskelaufbau und Gleichgewicht gefördert werden.

Foto 33 - Quelle: Privat

Ob man die Stangen klassisch hintereinanderlegt, um in verschiedenen Gangarten darüber zu laufen, sie zu Quadraten, Gassen, L- oder U-förmigen Aufbauten legt oder an einer einzelnen Stange zum Beispiel Seitengänge oder das Anhalten nach jedem einzelnen Schritt übt, es ist fast alles möglich.

So bleibt die Arbeit immer spannend und man kann seinem Pferd immer wieder neue Optionen und Übungen anbieten und beibringen ohne, dass man eine große Menge an Übungsutensilien benötigt.

Foto 34 - Quelle: Privat

Hier ist es wichtig, sich genau zu überlegen, was man bei welchem Aufbau von seinem Pferd erwartet, um es klar verständlich anleiten zu können. Schön ist es auch, wenn man einen Aufbau hat, mit dessen Hilfe mehrere Übungen absolviert werden können, wie bei dem hier abgebildeten Quadrat mit integriertem Stangen-L. Hier kann man beispielsweise vorwärts wie rückwärts und auch Schritt für Schritt durch das Stangen-L Laufen, das Pferd im Quadrat anhalten und eventuell auf der Stelle drehen lassen, sowie in zwei Linien geradeaus über jeweils drei Stangen treten lassen.

Bei einem so vielfältig nutzbaren Aufbau, kann das Pferd nicht so einfach erahnen, was von ihm erwartet wird, sondern muss auf entsprechende Anweisungen seines Menschen warten.

11.1.19. Ballspiele

Ballspielende Kinder trifft man im Gelände immer wieder. Doch meist finden die Pferde diese sehr unheimlich. Die schnellen Bewegungen der Menschen, die Geräusche, wenn der Ball geschossen wird oder irgendwo gegenprallt sind für ein Pferd nicht wirklich einschätzbar. So ist es vor Vorteil, wenn man das Pferd auch hieran bereits im gewohnten heimischen Umfeld heranführt. Hierzu kann das Pferd ruhig auf den eingezäunten Reitplatz oder in die Halle gestellt werden, während man selber mit einem Ball schießt oder wirft, ihn an der Wand abprallen lässt und hinter ihm herläuft. Sehr gut kann man auch zu zweit den Ball hin und her werfen oder schießen.

Foto 35 - Quelle: Privat

Zunächst erfolgen diese Aktionen ohne Einbeziehung des Pferdes. Je entspannter das Pferd sich gibt, umso dichter kann das Spiel ans Pferd heranrücken. Kommt das Pferd sogar gucken, sollte dieser Neugier unbedingt Zeit und Raum geschenkt werden. Nach und nach wird das Pferd feststellen, dass Ballspiele nicht furchtbar sind und auch den Ball selber untersuchen wollen. Ist die Neugier des Pferdes geweckt und durch eigenständiges Untersuchen des Balls geklärt, dass dieses runde Ding harmlos ist, so kann man das Pferd mit dem Ball berühren und den Pferdekörper vorsichtig abrollen.

Die dazu notwendigen Bewegungen können nach und nach schwungvoller und größer ausgeführt werden, bis man dem Ball vom Rücken des Pferdes runter rollen lassen kann. Hiernach ist auch das Training des darunter durch Rollens oder Schießens und des übers Pferd Werfens möglich. Natürlich darf auch das Pferd mit Ball spielen, sofern der Ball denn geeignet ist und nicht platzen kann.

Auch hier gilt bitte nicht zu viel auf einmal verlangen und die Aufgabe langsam aufbauen und steigern. Hat man sein Pferd doch einmal überschätzt und es scheut oder zeigt sonstiges Unwohlsein, so wird das Pferd beruhigt und in Ruhe einen Schritt im Training zurückgegangen.

11.1.20. Wasserhindernis

Die Arbeit mit einem Wasserhindernis ist eine wunderbare Übung für das Durchreiten von Bächen oder Pfützen.

Hat man keinen mobilen Wassergraben aus dem Springsport zur Hand, so bietet sich ein ausreichend großes Kinderplanschbecken an. Eine weitere Option bietet eine ausreichend stabile Folie mit vier Hindernisstangen. Die Stangen werden zum Quadrat gelegt und die Folie wird obendrauf gelegt und von außen unter den Stangen festgesteckt. Anschließend wird das so entstandene Becken mit Wasser gefüllt.

Hier ist jedes Pferd anders, manche finden die Arbeit mit Wasser super, gerade an heißen Sommertagen ist dies eine tolle Alternative im Training. Diese Pferde werden das Wasser vorsichtig untersuchen und mit einem Huf testen, ehe sie dann daraus trinken, sich bereitwillig ins Wasser führen lassen oder gar versuchen sich hineinzulegen.

Andere Pferde hingegen fürchten sich sehr, denn ihr Instinkt sagt ihnen, dass im Wasser „Krokodile" oder ähnliche Schreckwesen wohnen können. Hier ist wieder eine Menge Geduld und Einfühlungsvermögen gefragt. Das Pferd wird so nah ans Wasser geführt, wie es sich traut mitzugehen. Dann stellt man sich selber am besten in das Wasser und zeigt seinem Pferd somit schon einmal wie ungefährlich dieses ist. Dann wird das Pferd aufgefordert näherzukommen, dies kann je nach Ausbildungsstand das verbale Kommando zum losgehen sein oder ein vorsichtiger Impuls am Führstrick. Egal wie das Pferd aufgefordert wird, es darf auf keinen Fall zu viel Druck erzeugt werden. Jede, wirklich jede auch kleinste Bewegung auf das Wasser zu wird mit wahrer Begeisterung gelobt. Hier bietet es sich an bereits zu wissen, ob das Pferd eine Lieblingsstelle zum kraulen hat oder zum Beispiel eine besondere Vorliebe für Möhren. Ist das Pferd ausgiebig gelobt und für seinen Mut belohnt, kann man es um den nächsten Schritt bitten. Mit ausreichend Zeit und Geduld und genügend Lob, wird sich das Pferd irgendwann überwinden und sich ohne Zwang ins Wasser wagen.

Bei allen diesen Übungen ist es wichtig in Ruhe und Gelassenheit zu arbeiten, nie zu viel auf einmal zu verlangen und schon die kleinsten Fortschritte zu belohnen. Die Atmosphäre sollte immer entspannt bleiben. Pferd und Mensch sollen gemeinsam Spaß haben und positive gemeinsame Erlebnisse schaffen.

Erfahrungsgemäß sind Vollblüter begeistert bei der Bodenarbeit und dem Gelassenheitstraining dabei, versuchen schnell alles richtig zu machen und lernen die diversen Übungen extrem schnell. So sind der Kreativität des Menschen annähernd keine Grenzen gesetzt. Je nach Charakter des Pferdes muss man sogar aufpassen, dass sich das Pferd nicht zu schnell langweilt.

Auch wenn der Vollblüter nach einigen Durchgängen genau weiß, was von ihm erwartet wird, so sollte man immer auf eine korrekte Ausführung der Übungen achten und darauf bestehen, die Übungen als Mensch zu starten und zu beenden. Durch die Intelligenz und Auffassungsgabe der Vollblüter neigen diese dazu Aufgaben vorweg zu nehmen oder einfach schon mal loszulegen, bevor der Mensch soweit ist oder das Kommando gegeben hat. In welchen Bereichen der gemeinsamen Arbeit man diese Selbstständigkeit fördern oder lieber eingrenzen möchte sollte man sich gut überlegen.

11.2. Longieren

Das Logieren eines pensionierten Rennpferds ist bisweilen zu Beginn recht abenteuerlich. Unter Umständen kennt das Pferd diese Art der Bewegung nicht. Es bietet sich an zu Beginn in einem Longierzirkel oder Roundpen zu arbeiten, wo das Pferd durch die runde Außenwand begrenzt wird.

Grundsätzlich reicht zum longieren ein entsprechend gut passendes Stallhalfter oder auch ein Kappzaum und eine Longe. Zusätzlich machen gerade anfangs ein entsprechender Bein- und Hufschutz fürs Pferd Sinn. Zum Schutz der eigenen Hände können auch Handschuhe durchaus sinnvoll sein.

Vom longieren an der Trense, sowie der Verwendung von Ausbindern sollte abgesehen werden, da hiermit zu schnell zu viel Druck aufgebaut wird und Fehlhaltungen begünstigt werden.

Möchte man mit der Doppellonge arbeiten, so kann diese ein tolles Hilfsmittel sein, um das Training noch abwechslungsreicher zu gestalten und sein Pferd ohne Reiter zu trainieren.

Hier ist jedoch je nach Vorgeschichte des Pferdes Vorsicht geboten. Hat ein Vollblüter mit Bändern oder Longen beispielsweise beim Verladen schlechte Erfahrungen gemacht, so kann es sein, dass ihm das mit der Doppellonge um die Hinterhand wieder einfällt. So gibt es Vollblüter, die die Doppellonge bei langsamer Gewöhnung gut annehmen, welche die viel Zeit brauchen sich an dieses Trainingsutensil zu gewöhnen und auch solche, die sich niemals daran gewöhnen.

Running Girl empfand die Doppellonge als eine echte Zumutung. Nachdem wir gemeinsam erarbeitet hatten, dass dieses lange Ding genauso ungefährlich ist, wie die normale Longe, funktionierte auch das Abstreichen mit der Doppellonge ohne Probleme.

Der nächste Schritt war die Longe um ihre Hinterbeine zu führen, dass fand sie zunächst sehr gruselig aber es ließ sich mit viel Geduld erarbeiten. Nun wollten wir in die erste Arbeit mit der Doppellonge starten. Running Girl signalisierte ziemlich zügig und furchtbar deutlich, dass sie mit dem Gefühl, welches durch die Doppellonge am Gebiss entsteht nicht leben konnte. Die Longe am Maul war ihr zu schwer und durch ihre Körperbewegung zu sehr in Bewegung.

So habe ich mich gegen Doppellongenarbeit entschieden. Wir sind auch ohne gut klargekommen. Das war auf jeden Fall die harmonischere Lösung, als sie weiter im Maul zu stören. So haben wir halt nicht mit der Doppellonge gearbeitet aber ich war sehr froh ihre Zeichen nicht zu ignorieren, sondern ihre Abneigung gegen diese Form der Arbeit berücksichtig zu haben. Denn so sensibel wie sie auf die Doppellonge am Gebiss reagiert hat, so sensibel war und blieb sie auch gegenüber den Zügelhilfen beim Reiten, was natürlich sehr angenehm war.

11.2.1. Beginn der Longenarbeit

Zu Beginn wird das Pferd ein paar Runden auf der linken und ein paar Runden auf der rechten Hand geführt, damit es die Örtlichkeit und den im

Vergleich zu einer Rennbahn winzigen Durchmesser dieser Bewegungsmöglichkeit kennen lernt.

Je nach Temperament und Bewegungsdrang kann es auch hilfreich sein, das Pferd zunächst in einer großen Reithalle frei laufen zu lassen und erst nach dem Abbau der ersten überschüssigen Energie in die Rundhalle zu wechseln.

Ist das Pferd ausreichend aufgewärmt, so wird es zunächst an der langen Longe losgeschickt. Das Wegschicken kennt es ja aus der Bodenarbeit bereits. Ist es ein paar Runden brav gegangen, so wendet man sich ab und ruft das Pferd zu sich heran. Auch dieses Kommando ist in der Bodenarbeit bereits erarbeitet worden. Kommt das Pferd in der Mitte an, wird es ausgiebig gelobt.

Diese ersten Einheiten an der Longe sind unter Umständen nur fünf Minuten lang und werden nach und nach gesteigert, wie in der Ausbildung eines Jungpferdes. Es ist immer das Ziel aufzuhören, bevor das Pferd die Konzentration oder Motivation verliert und sich beginnt gegen seinen Menschen zu wehren. Die kleinen Kreisbahnen beim Longieren verlangen auch körperlich einiges vom Pferd. Daher sollte nicht unterschätzt werden, wie anstrengend eine Einheit an der Longe für ein Pferd sein kann, welches es gewohnt ist sich auf einer langen Bahn durchzustrecken, um die hohen Geschwindigkeiten im Rennen zu erreichen. Die Kraft und das Körpergefühl für sinnvolle, längere Longeneinheiten muss man mit dem Pferd erst langsam erarbeiten.

Sollte das Pferd kopflos durchstarten und nicht Schritt gehen wollen, so wird es immer wieder abgebremst und in die Mitte geholt. Hierzu versperrt man dem Pferd optisch den Weg, indem man versucht vor seine Nasenlinie zu kommen. Hat es seinen Menschen als den Ranghöheren akzeptiert, so wird es versuchen diesem Druck auszuweichen und dabei entweder abbremsen oder sich der Mitte zuwenden. Regt sich das Pferd schon entsprechend auf, muss der Mensch die Ruhe bewahren und das Pferd wieder beruhigen. Es macht die ganze Situation nur noch schlimmer, wenn der Mensch dann auch noch die Nerven verliert.

Sind die Runden im Schritt auf beiden Händen sicher abrufbar und das Pferd hat gelernt in Ruhe Schritt zu gehen, so kann der Trab hinzugenommen werden. Hieran wird wiederum gearbeitet, bis auch diese Gangart und das Wechseln zwischen Schritt und Trab, sowie das Laufen in beide Richtungen gut sitzen.

Ist auch dieses Etappenziel erreicht und das Pferd lässt sich locker und entspannt arbeiten, kann man den Galopp hinzunehmen.

Erst wenn diese Grundlage geschaffen ist und das Pferd in Ruhe und Entspannung mit seinem Menschen arbeitet, kann man daran arbeiten das Longieren weiter zu verfeinern.

Verwirft sich das Pferd beim Longieren im Genick, sollte man sich definitiv fragen, woher dies kommen kann. Ein solches Verkanten im Genick und die daraus resultierende schiefe Kopfhaltung haben immer eine Ursache, die es abzustellen gilt.

Die erste Frage, die man sich stellen sollte ist, wo diese Problematik auftritt. Beim Reiten, beim Longieren oder gar beim Freilaufen?

Verwirft sich das Pferd schon beim freien Laufen sollte eine Behandlung beim Osteopathen sowie dem Physiotherapeuten gebucht und die Wirbelsäule untersucht werden.

Macht es dies nur bei der Arbeit sollte man sich fragen, ob die Zähne in Ordnung sind und das gewählte Trensengebiss fürs Pferd angenehm zu tragen ist.

Ist auch dies abgeklärt, so bleiben als Ursachen in vielen Fällen zu viel Druck auf dem Gebiss oder für die geforderte Aufgabe nicht ausreichende Kraft und ein unzureichendes Körpergefühl übrig. Dann kann sich ein Pferd im Genick verwerfen, wenn es versucht dem unangenehmen Druck im Maul zu entgehen oder sich auszubalancieren. Natürlich sind die hier aufgezählten Ursachen nur Möglichkeiten und es kann noch viele weitere Auslöser geben. Im Zweifel sollte man auch immer bereit sein eine solche Problematik mit einem Tierarzt zu untersuchen.

Als Lösung bietet es sich an, zu Beginn nur am Halfter oder ganz ohne Longe zu longieren und am langen Zügel zu reiten, so kann man den Druck im Maul minimieren oder sogar ganz weglassen. Weiterhin sollte zur Bodenarbeit zurückgekehrt werde, um Kraft und Körpergefühl zu stärken.

Nur ein Pferd das gesund, schmerzfrei, sowie ausreichend kräftig und ausbalanciert ist kann sinnvoll an der Longe arbeiten und gearbeitet werden.

11.2.2. Vorwärts Abwärts

Hierzu gehört in erster Linie, dass das Pferd ohne Gebiss und Ausbinder lernt sich im Hals fallen zu lassen und dadurch die Rückenmuskulatur auf gesunde Weise an dieser Arbeit zu beteiligen.

Um das Absenken des Halses zu erreichen wird an der Longe immer wieder ein kurzer Impuls gegeben, ähnlich einer Parade beim Reiten. Sobald das Pferd darauf reagiert und den Kopf senkt hören die Impulse auf und es erfolgt ein verbales Lob. Dieses Absenken des Kopfes kann zu Beginn nur minimal sein und auch nur kurz anhalten. Sobald der Kopf wieder hoch geht setzen die Impulse an der Longe wieder ein. Es ist von unfassbarer Bedeutung, dass im Wechsel von Impulsen und Ruhe an der Longe sowie verbalem Lob das Timing optimal ist. So wird das Pferd schnell durchschauen, dass das vorwärts abwärts strecken des Halses die angenehmste Position ist. Es muss darauf geachtet werden, die Last des Pferdes in dieser Übung nicht auf die Vorhand fallen zu lassen. Hierzu muss immer das Hinterbein aktiv mit nach vorne treten. Bei einem Pferd muss man dazu etwas nachtreiben, bei einem anderen ergibt sich diese Problematik nicht, weil die Hinterhand von sich aus ausreichend nachschiebt.

Running Girl hat in der Longenarbeit zusätzlich gelernt, dass sie auf die Frage: „Wo gehört die Nase hin?" ins Vorwärts Abwärts sollte. Durch die den Galoppern eigene unheimlich starke Auffassungsgabe hatte sie dieses Kommando so weit verinnerlicht, dass ich die Impulse an der Longe vollkommen einstellen und dieses Kommando auch beim Reiten abrufen konnte.

11.2.3. Tempowechsel und Stangengymnastik

Sitzen diese Basics des Longierens, kann begonnen werden Tempowechsel und Stangen zur weiteren Gymnastizierung, sowie das Handwechselkommando „umdrehen" zu üben.

Ein Geschwindigkeitswechsel innerhalb einer Gangart also das schneller beziehungsweise langsamer werden sollte auf Basis von Stimmkommandos erarbeitet werden. Hierzu begibt man sich wieder rein optisch vor die Nasenlinie des Pferdes, sobald das Pferd langsamer wird, geht man wieder hinter die Nasenlinie. Zeitgleich gibt man ein Stimmkommando. Gut geeignet ist das Wort „gemütlich" denn je nachdem wie eilig es das Pferd hat, kann man dieses Wort sehr lang werden lassen, also „geeeeemüüüüütliiiiich", bis das Pferd langsamer wird.

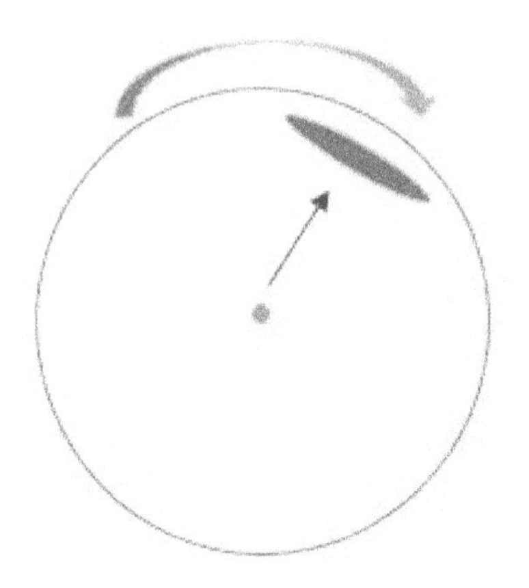

Abbildung 2 - Quelle: Privat

Hier sieht man die neutrale Position des Longenführers. Der Longenführer steht mit dem Körper und dem Blick mittig zum Pferdekörper ausgerichtet in der Mitte des Zirkels. Das Pferd läuft auf der rechten Hand.

Nun soll das Pferd abbremsen. Der Longenführer geht ein paar Schritte nach rechts vorne, blickt vor die Pferdenase und versperrt dem Pferd somit optisch den Weg.

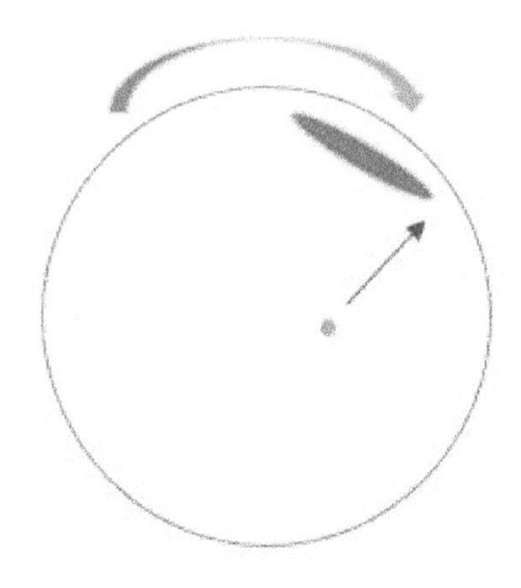

Abbildung 3 - Quelle: Privat

Für das schneller werden in einer jeden Gangart bietet es sich an zu schnalzen. Dies bedeutet dann praktisch immer: Tu mehr von dem was du gerade tust.

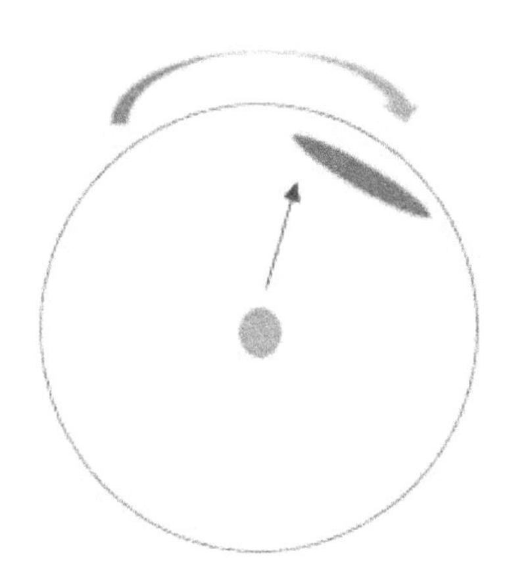

Abbildung 4 - Quelle: Privat

Hier soll das Pferd beschleunigen. Je nach Temperament reicht es, wenn der Longenführer aus der neutralen Position heraus den Blick intensiv auf die Hinterhand des Pferdes richtet (s.Abb.), reicht dies nicht, kann er noch einen energischen Schritt auf die Hinterhand des Pferdes zu machen.

Jedes Kommando sollte aber für das Pferd klar verständlich sein und es sollte auch immer dasselbe Kommando gegeben werden. So wird die Kommunikation für das Pferd erheblich einfacher. Sitzen alle diese Kommandos gut, so kann man sie sich auch in der Ausbildung zum Reitpferd zu Nutze machen.

Stangen sollten nach und nach eingeführt werden. Es ist ratsam erst eine Stange in den Longierzirkel zu legen, ist diese für das Pferd kein Problem, so kann auf der gegenüberliegenden Seite eine zweite Stange hinzugenommen werden. Möchte man mit mehreren Stangen arbeiten, so bietet es sich an diese in der Form eines Fächers hinzulegen, der von seinen Abständen und Winkeln zu der zu longierenden Kreisbahn und der Schrittlänge des Pferdes passt.

11.2.4. Handwechsel

Um einen fließenden Handwechsel machen zu können, ohne sein Pferd immer in die Mitte holen zu müssen, kann das Kommando „umdrehen" für die Arbeit an der Longe hinzugenommen werden. Es ist dem Pferd aus der Bodenarbeit bereits vertraut. Dort war es erarbeitet worden, um das Pferd nach dem Durchqueren des Weidetors wieder zu sich zurückzuholen, damit das Tor in Ruhe geschlossen werden kann.

An der Longe lässt man das Pferd nun durchparieren bis zum Schritt, schaut, dass man es zu sich in die Mitte einlädt, indem man sich leicht abwendet, um dann auf die andere Seite der Nasenlinie zu wechseln und das Pferd wieder auf den Hufschlag zurückzuschicken. Zur Verdeutlichung: Das Pferd geht im Schritt auf der rechten Hand an der Longe. Nun wird es mit dem Kommando „umdrehen" aufgefordert die Hand zu wechseln.

Der Longen Führer geht zwei oder drei Schritte nach rechts, um optisch vor die Nasenlinie des Pferdes zu kommen und wendet den Blick nach rechts unten vom Pferd ab. Auf diese Bewegung hin sollte das Pferd abbremsen und in die Mitte abwenden. Unter Umständen, kann das Abwenden zu Beginn mit einem leichten Zug an der Longe unterstützt werden.

Hat das Pferd nun abgewendet und kommt auf den Longen Führer zu, geht dieser noch einen weiteren Schritt nach rechts, bis er optisch auf der linken Seite des Pferdes auftaucht.

Nun richtet er sich wieder auf, nimmt seinen Blick und seine Präsenz wieder aufs Pferd und schickt es wieder mit der Schulter nach außen, sodass es danach auf der linken Hand läuft. Je öfter diese Übung geübt wird und je klarer dem Pferd das Kommando wird, desto weniger der genannten Hilfen sind nötig. Bei ausreichendem Training, genügt das verbale Kommando alleine zum Handwechseln an der Longe oder auch beim Freilaufen.

11.2.5. Feintuning Longenarbeit

Sind alle diese Übungen an der Longe dem Pferd vollkommen klar, so kann man den runden Übungsplatz verlassen und das Pferd auch auf einem Reitplatz oder in einer Reithalle longieren.

Foto 36 - Quelle: Privat

Wie immer gilt, je besser und gewissenhafter die vorbereitenden Übungen erarbeitet sind, desto problemloser wird der nächste Schritt gelingen.

Die Arbeit an der Longe eignet sich hervorragend zum Energie abbauen vor dem Reiten oder der Bodenarbeit.

Ist all dies erarbeitet, so sollte das Ziel immer sein alle Hilfen und Signale die das Pferd bekommt weiter zu verfeinern. Es ist erstaunlich mit wie wenig Signalen ein Vollblüter auskommt. Jede Hilfe die mehr Kraft als die zweier Finger benötigt ist noch nicht ausreichend verfeinert.

11.3. Reiten mit viel Ruhe

Es kann sinnvoll sein seinen Vollblüter anfangs nur alleine zu reiten, weil sonst in der Phase, in der das Pferd quasi zum zweiten Mal angeritten wird, auch noch unterschiedliche Anweisungen von verschiedenen Reitern hinzukommen. Denn egal wie gut die Absprachen sind, es macht doch jeder Reiter wieder etwas anders als ein anderer.

Foto 37 - Quelle: Privat

Benötigt man doch mal einen Vertreter, so kann das Pferd freilaufen gelassen oder longiert werden oder es kann zu Fuß spazieren gegangen werden.

Man sollte nicht an einer Reitweise oder Reitlehre festhalten, sondern sich von Allem das raussuchen was am besten zu sich selbst und dem eigenen Pferd passt. In jeder Reitweise gibt es gute Trainingsansätze, gute Trainer und gute Ausrüstungsgegenstände. Hierbei ist es egal, ob man die Westernreiterei, das Englischreiten, die Spanische- oder Barockreitweise betrachtet oder ob man sich einer bestimmten Trainingsphilosophie eines einzelnen Horseman zuwendet. Es empfiehlt sich einfach nicht, ohne die einzelnen Bestandteile einer Reitweise oder eines Trainingsplanes zu hinterfragen, einer bestimmten Denkweise zu folgen. Denn jedes Pferd und somit auch jeder Vollblüter ist ein Individuum, welches im Optimalfall der Besitzer am besten kennt und einschätzen kann. So kann man durchaus verschiedene Ansätze kombinieren, um für seinen Vollblüter und sich selber eine Herangehensweise zu kreieren, mit der sich beide zusammen wohlfühlen.

Es gelten natürlich auch beim Reiten von Vollblütern ein paar Grundsätze, die man nicht aus den Augen verlieren sollte. Zunächst muss das Training abwechslungsreich genug gestaltet werden, sonst könnte das Pferd auf Grund von Langeweile unwillig werden. Kein Pferd absolviert gerne jeden Tag haargenau dieselben Aufgaben in derselben Reihenfolge und gerade die sehr intelligenten und auffassungsfähigen Vollblüter langweilen sich eher als andere Pferde.

Insgesamt, sollte man auch hier mit liebevoller Konsequenz arbeiten und dem Pferd ausreichend Bewegung und Auslauf bieten. Ebenso sollte dem Pferd die Möglichkeit gegeben werden, sich mit und ohne Reiter wirklich im Galopp zu strecken.
So wird das Pferd deutlich ausgeglichener und zufriedener sein.

Foto 38 - Quelle: Privat

Wie bereits beschrieben, ist die Arbeit mit einem Vollblüter von der Rennbahn, ähnlich, als wenn man ein sehr temperamentvolles Jungpferd ausbildet. Sie sind zwar schon geritten, haben aber in der Regel keine klassische Reitpferdeausbildung erfahren. Von Rückschlägen darf man sich nicht entmutigen lassen, sie müssen hinterfragt, analysiert und dann mit viel Geduld wieder ausgebügelt werden.

11.3.1. Stillstehen und Aufstiegshilfe

Zum Dasein als Freizeitpferd gehört natürlich in den meisten Fällen auch die Nutzung als Reitpferd. Übernimmt man einen Vollblüter von der Rennbahn, so hat dieser bereits gelernt, einen Reiter zu tragen und von diesem die Richtung und die Geschwindigkeit bestimmen zu lassen. So ist der Grundstein für das Leben als Reitpferd bereits gelegt. Was diese Pferde jedoch meistens nicht kennen, ist einen Reiter, der an ihrer Seite hängt, im Bestreben auf ihren Rücken zu gelangen. Denn im Rennalltag und Training mit den entsprechenden Sätteln steigt niemand einfach vom Boden aus auf. Es wird immer von einer erhöhten Position von oben auf das Pferd gestiegen oder der Reiter wird von einem Helfer auf das Pferd gehoben. So bietet es sich an als erste Übung nicht das Reiten selber, sondern das Stillstehen an einer Aufstiegshilfe und das Stillstehen beim Aufsteigen selber zu üben. Denn versucht man einfach ohne Vorwarnung vom Boden aus auf sein ehemaliges Rennpferd zu steigen und dies auch noch ohne jemanden an seiner Seite zu haben, der das Pferd festhält, ist mit durchaus lebhaften nicht zum aufsteigen geeigneten Reaktionen zu rechnen.

Hierzu sollte zu nächst, ganz in Ruhe und vom Boden aus, geübt werden, dass sich das Pferd in Ruhe an die Aufstiegshilfe führen und dort anhalten lässt. Hier ist das Wissen aus dem Kapitel Bodenarbeit (Führtraining und Stillstehen) hilfreich. Ebenso ist zu üben, dass eine Aufstiegshilfe bisweilen Geräusche macht, wenn der Mensch sich darauf bewegt. Wie bei allen Übungen sind Geduld und Wiederholungen der Schlüssel zum Erfolg.

Sind diese Grundlagen geklärt, so kann das erste Mal aufgestiegen werden. Hier ist allerdings damit zu rechnen, dass das Pferd startet, sobald Reitergewicht in den Sattel kommt. Es gibt aber auch Exemplare, die das Aufsteigen gelassen hinnehmen, genauso wie es Exemplare gibt, bei denen man zu Beginn jemanden benötigt, der das Pferd festhält und jemanden, der dem Reiter in den Sattel hilft. Die Reaktionen auf das Aufsteigen eines Reiters sind so unterschiedlich wie die Charaktere der verschiedenen Pferde. Somit sollte der erste Anlauf mit viel Feingefühl und in einem sicher eingezäunten Bereich gestartet werden. Manchem Pferd hilft es auch, wenn zunächst gar kein Reiter aufsteigt, sondern ein Gewicht auf den Sattel gebracht und wieder heruntergenommen wird, während das Pferd stillstehen soll. Diese Vorübung zum Aufsteigen kann dem Pferd vermitteln, Gewicht im Sattel nicht als Startzeichen zu bewerten.

Weiß man also wie das eigene Pferd reagiert kann man das Aufsteigen regelmäßig üben beziehungsweise in den Trainingsalltag einbauen. Beim Aufsteigen sollte man unbedingt darauf achten, dass das Pferd stillsteht, bis man sich im Sattel tatsächlich zu Ende sortiert hat. Hierzu gehört das Ausrichten der Sitzposition, das Zügelmaß sowie das Aufnehmen beider Steigbügel. Erst wenn der Reiter wirklich bereit ist sein Pferd in Bewegung zu versetzen, gibt er ein Kommando zum Loslaufen. Es eignen sich Kommandos wie „geh los" oder „ok". Bei einigen Pferden hat es sich bewährt, wenn brav abgewartet wird, nach erfolgreichem Aufsteigen und Sortieren, aus dem Sattel ein Leckerli zu geben. Ist das Pferd noch zu eilig oder will nicht stehen bleiben, sollte die Lektion vom Boden aus weiter vertieft werden und das Pferd auf jeden Fall immer in Ruhe und Gelassenheit korrigiert werden. Hierzu lässt man es unter dem Reiter wieder anhalten und genau wie beim Parken vom Boden aus lässt man das Pferd zuerst kurz und dann immer länger stillstehen, bevor man es wieder antreten lässt. Wichtig ist hierbei zu versuchen, das Stillstehen aufzuheben, bevor das Pferd selber losläuft. Diese Übung sollte dann unabhängig vom Aufsteigen auch immer zwischendurch vertieft werden, denn ein jedes Pferd sollte unter dem Reiter stillstehen können, egal wie lange dies gerade notwendig ist. Spätestens im Gelände ist ein erfolgreiches trainieren dieser Lektion durch nichts zu ersetzen.

Als Hilfe zum Anhalten, bietet es sich an den Schenkel lose ohne zu treiben am Pferd zu haben und sich schwer in den Sattel zu setzen. Somit kann man das Pferd rein über das Gewicht und das Wegnehmen des Schenkeldrucks anhalten. Das Annehmen der Zügel ist mit Vorsicht zu genießen, da die Zügel der Galopper im Rennen zum Schlusssprint aufgenommen werden. Rennpferde lernen gegen diesen Zügeldruck anzurennen. Je mehr Druck vorne entsteht, desto mehr wird ein Rennpferd dagegen gehen.

Allein die Länge dieses Textes rund um das Anhalten und Stillstehen zeigt welch große Bedeutung dieses Thema in der Arbeit mit einem ehemaligen Rennpferd hat. Diesem Bereich sollte viel Zeit gewidmet werden. Meistens ist dies eine der größten Baustellen für ein ausrangiertes Rennpferd.

11.3.2. Anreiten und treibende Hilfen

Zum Anreiten kann man vorsichtig und mit viel Gefühl die Schenkel ans Pferd bringen und eventuell noch mit der Zunge schnalzen oder das verbale Kommando der Longenarbeit anwenden. Wichtig ist hier vorsichtig zu testen wie das jeweilige Pferd auf den Schenkel reagiert und diesen nur so sparsam wie möglich einzusetzen.

Selbiges gilt im übertragenen Sinne natürlich für das Antraben und Angaloppieren.

Hat das Pferd die gewünschte Gangart erreicht, so lässt man den Schenkel am besten ruhig am Pferdebauch liegen, bis eine neue Hilfe notwendig wird.

Ein dauerhaftes Treiben ist bei den sehr vorwärts gerichteten Vollblütern nicht unbedingt sinnvoll und kann für die Entspannung unter dem Reiter zunächst hinderlich sein, sowie für einen zu hohen Vorwärtsdrang sorgen.

Bis man sein Pferd wirklich am Schenkel hat und die treibenden Hilfen nicht sofort für ein schnelleres Laufen sorgen kann einige Zeit vergehen. Dies ist jedoch nicht schlimm und kann zu Beginn der Umschulung durch die Stimmkommandos ausgeglichen werden.

11.3.3. Reiten am lockeren Zügel

Das Reiten am lockeren, jedoch nicht kontaktlosen Zügel kann je nach Temperament des Pferdes zu Beginn gut funktionieren.

Foto 39 - Quelle: Privat

Somit wird kein Druck auf dem Gebiss aufgebaut, denn dies wird ein ehemaliges Rennpferd anfangs dazu veranlassen mit Gegendruck und schnellerem Tempo zu reagieren. Die Länge des Zügels ist richtig, wenn man leichten Kontakt zum Pferdemaul hat, jedoch keine Kraft benötigt. Hier ist wieder das Kraftmaß der zwei Finger hilfreich, wenn man mehr als die Kraft zweier Finger benötigt, um die Zügel festzuhalten, dann hat man eindeutig zu viel Druck am Pferdemaul.

11.3.4. Lenkung

Biegungen und enge Wendungen können auch beim Reiten ebenso wie beim Longieren auf der kurzen Seite von Halle oder Reitplatz zu Problemen bei der Bewegung führen. Galopper sind solch enge Wendungen nicht gewohnt und müssen lernen ihre Füße zu sortieren.

Um die Lenkung zu implementieren empfiehlt es sich das Pferd zum Beispiel auf die Ecke der Reithalle zugehen zu lassen und wenn das Pferd der Mauer entlang abwendet genau die Hilfen zu geben, die man seinem Pferd für die Wendungen beibringen möchte. Das Abwenden von einer geraden Linie kann man besser erst üben, wenn das Pferd von den Ecken der ganzen Bahn die Hilfen bereits gut kennt. Ebenso lässt sich die Lenkung gut üben und verfeinern, indem man mit einem anderen Pferd ausreiten geht. Da die Wegführung dem Pferd bereits eine Idee gibt, wo und in welche Richtung abgebogen wird.

Ganz wichtig ist es immer mit genügend Lob zu arbeiten, diese Pferde sind sehr sensibel und feinfühlig und man sollte es nicht verpassen, jedes Entgegenkommen des Pferdes zu belohnen und sich ehrlich darüber zu freuen. Jedes Entgegenkommen und jeder Gehorsam eines Pferdes ist ein Geschenk und sollte auch als solches wertgeschätzt werden.

11.3.5. Tempowechsel

Zu Beginn kann es eine hilfreiche Idee sein, mit viel Stimme und den an der Longe bereits erarbeiteten Kommandos für die einzelnen Gangarten oder das Beschleunigen / Langsamer werden innerhalb der Gangarten zu arbeiten. Möchte man beispielsweise, innerhalb einer Gangart langsamer werden, so ist das langsamer werden in den eigenen Bewegungen und ein langgezogenes „gemütlich" ein tolles Hilfenbild, bei dem man nicht den Zügel aufnehmen muss.

Nichts desto trotz sollte man das Annehmen des Zügels natürlich genauso üben wie das Treiben am Schenkel, wenn in einer Gangart an Geschwindigkeit zugelegt werden soll.

11.3.6. An den Zügel reiten

Nachdem nun das Aufsteigen, das Lenken und das Anhalten sowie die Gangart- und Tempowechsel funktionieren kann daran gearbeitet werden, dass das Pferd auch schön daher läuft, also an den Zügel heran zu reiten ist. Es ist darauf zu achten, dass das Pferd den Rücken aufwölbt, den Hals entspannt trägt und mit der Nasenlinie nicht hinter die Senkrechte kommt. So kommt die Rückenmuskulatur dazu optimal zu arbeiten und das Pferd läuft nicht verspannt oder aufgerollt (Nase weit hinter der Senkrechten) in einer Zwangshaltung daher.

Hierzu sollte man am inneren Zügel einen nach hinten, oben gerichteten Impuls geben. Gibt das Pferd daraufhin nicht nach, gibt man im Takt zur Bewegung passend den nächsten Impuls. Gibt das Pferd auch dann nicht nach, den nächsten und immer so weiter, bis das Pferd nachgibt. Auch wenn das Nachgeben anfangs nur minimal ist, hören die Impulse am Zügel sofort auf.

Man muss auf jeden Fall berücksichtigen, dass man es einem Pferd nur solange im Maul ungemütlich machen darf, bis es nachgibt. Auch wenn das Nachgeben anfangs nicht gleich so weit geht wie man es gerne hätte, sollte man auf das geringste Nachgeben des Pferdes ebenfalls nachgeben. Hier ist beim Reiter enormes Feingefühl und sehr präzises Timing notwendig. Diesen Moment darf man definitiv nicht verpassen, wenn man seinem Pferd vermitteln will, dass eine hohe Kopfhaltung unerwünscht ist und alles angenehmer wird, wenn der Kopf nach unten genommen wird.

Das Pferd wird lernen, dass der Mensch es am Gebiss in Ruhe lässt und dass das Gefühl in seinem Rücken angenehmer wird, wenn es den Kopf nicht zu hochträgt. Die Phasen in denen das Pferd den Kopf unten lässt und an das Gebiss herankommt, werden nach und nach immer länger werden. Auch hier liegt der Schlüssel in der Geduld des Reiters. Sieht man sich ein Pferderennen an, so wird man kein Pferd finden, welches an den Zügel heran geritten daherkommt. Die Pferde strecken sich in ihrem ganzen Körper durch, um ihre Höchstgeschwindigkeit zu erreichen.

So ist es nicht weiter verwunderlich, dass diese Pferde die Muskulatur für die gewünschte Halshaltung eines Reitpferdes noch nicht besitzen und dass diese Muskulatur langsam aufgebaut werden muss. Erwartet der Reiter zu schnell zu viel, kann die Muskulatur übersäuern und sich schmerzhaft verkrampfen. Dies wäre definitiv nicht die Lektion, die das Pferd lernen soll. Denn es würde verinnerlichen, wenn die Impulse am Zügel kommen und ich ihnen nachgebe, erzeugt dies Schmerzen. Das eine solche Erkenntnis bei einem hoch intelligenten Vollblüter nicht hilfreich für das weitere Training ist, dürfte sich von selbst erklären.

11.3.7. Reitlehrer / Trainer

Stimmt die Vertrauensbasis zwischen Pferd und Reiter und die Basics beim Reiten sind gelegt, so kann man sich ruhig die Hilfe eines ruhigen und erfahrenen Reitlehrers beziehungsweise Trainers suchen, der einen selbst gemeinsam mit seinem Pferd auf dem Weg zum Team unterstützt. Ob der Reitunterricht regelmäßig oder nur immer mal wieder erfolgt, um sich neue Anregungen zu holen, sollte je nach Vorliebe des Reiters erfolgen. Ein Reitlehrer muss aber so gut zu Pferd und Reiter passen, wie die beiden zueinander. Stimmt die Chemie nicht und der Reiter fühlt sich mit dem Reitlehrer nicht wohl, ist nicht damit zu rechnen, dass der Vollblüter entspannt mitarbeitet, denn er wird seinen Reiter und dessen Anspannung spiegeln. Stellt man fest, dass der Reitlehrer oder Trainer den man sich ausgesucht hat doch nicht zu einem passt, dann sollte man nach einem anderen suchen. Es ist sehr wichtig, dass der Reiter auf sein Bauchgefühl hört und sich nicht von Stallkollegen beeinflussen lässt.

Ist der passende Reitlehrer / Trainer gefunden, so kann das Training dadurch enorm bereichert werde, da der Erfahrungsschatz meistens umfangreicher ist, als der eines einzelnen Reiters. Außerdem lernt man ja bekanntlich niemals aus und auch bei einem wirklich guten Reiter schleichen sich Fehler und Marotten ein, die besser ausgebügelt gehören.

11.3.8. Einsatzbereiche

Grundsätzlich kann man mit seinem Vollblüter jedes Ziel erreichen, ob man ein Turnier, einen Wanderritt,

Foto 40 - Quelle: Privat

ein Speed Rodeo, das Reiten ohne Sattel und nur mit Halsring oder die gebisslose Arbeit vor Augen hat. Wichtig ist nur, dass man sein Pferd immer so gut wie möglich vorbereitet, nicht zu viel auf einmal verlangt und es somit nicht überfordert oder gefährliche Situationen entstehen lässt. Möchte man zum Beispiel wirklich mit Halsring reiten, so sollte man seinem Pferd das zügelunabhängige Bremsen, Beschleunigen und Lenken beigebracht haben. Einfach ohne Vorbereitung die Trense wegzulassen ist das beste Rezept für eine Katastrophe.

Da waren Running Girl und ich nun seit ca. 3,5 Jahren gemeinsam unterwegs. An einem schönen Sonntagnachmittag waren wir auf dem Reitplatz, ich hatte gerade erst mit dem Ritt begonnen, als eine Gruppe Reiter an den Reitplatz kam. Sie fragten mich, wie lange ich noch machen würde. Nachdem ich geantwortet hatte, dass ich gerade erst begonnen hatte, wurde ich eingeladen mit Running Girl am nun folgenden Training für das anstehende Speed Rodeo teilzunehmen.

Ich war einigermaßen erstaunt und musste mir erst ein Mal erklären lassen, was genau denn ein Speed Rodeo ist. Ich erfuhr, dass es sich um fünf verschiedene Geschicklichkeitsparcours handelte, die von jedem Teilnehmer absolviert werden müssen. Der jeweils schnellste und fehlerfreiste Ritt gewinnt.

Nun also gesagt, getan. Training mitgeritten. Wir hatten sehr viel Spaß, auch wenn wir die Übungen ganz in Ruhe geritten sind. Das Training haben wir an den nächsten Wochenenden insgesamt vier Mal mitgemacht und dann tatsächlich zum Rodeo genannt.

Unsere Trainingszeiten und die Sicherheit in den einzelnen Parcours wurden von Training zu Training besser und ich war erstaunt wie schnell meine Stute lernte. Bereits nach der dritten Trainingseinheit wusste Running Girl genau, was bei welcher Aufgabe von ihr erwartet wurde.

Foto 41 - Quelle: Privat

Am Rodeo Tag selber gab sie einfach alles. Ich war von ihrer Leistungsbereitschaft unglaublich begeistert. Nachdem sie Musik, Publikum und den Ansager wahrgenommen hatte, war ihr Wettkampfgeist geweckt. So kam es, dass wir entgegen aller Erwartungen, in allen Disziplinen recht gut platziert waren und sogar einen

zweiten Platz und in der Gesamtwertung den vierten Platz für uns behaupten konnten.

Auch Ausflüge in die Zirzensik sind mit einem Vollblüter kein Problem, durch ihre schnelle Auffassungsgabe und ihren Willen alles für ihren Menschen zu tun sind sie auch hier begeistert bei der Sache. Es ist jedoch immer wichtig sein Pferd vor diesen Übungen ausreichend aufzuwärmen. Außerdem sollte berücksichtigt werden, dass nicht jede Aufgabe jedem Pferd liegt, wo das eine das Verbeugen (Kompliment) schnell lernt und es mit Begeisterung zeigt, kann das andere ganz klar signalisieren, dass es diese Übung unangenehm findet. Auf solche Hinweise des Pferdes sollte immer Rücksicht genommen werden, denn die gemeinsame Arbeit soll ja Pferd und Reiter Spaß machen.

Foto 42 - Quelle: Privat

Die zuvor aufgezeigten „Verwendungsmöglichkeiten" für einen Vollblüter sind natürlich nur Beispiele. Ein Vollblüter kann, so die Basis und das Vertrauen stimmen, mit seinem Menschen so ziemlich alles erreichen, was sich die beiden in den Kopf gesetzt haben.

11.3.9. Feintuning

Sind alle bisher beschriebenen Übungen gemeistert und genügend Vertrauen sowie eine Grundrittigkeit erreicht, gibt es nichts was einen Vollblüter und seinen Menschen aufhalten kann.

Die gesamten Hilfen, also Gewicht, Schenkel und Zügel, sollten zu Beginn nur sparsam eingesetzt werden. Nach und nach können diese Hilfen getestet und ausgebaut werden, denn natürlich sollte man im weiteren Verlauf der Ausbildung auch einen Vollblüter im gesunden Zusammenspiel aller Hilfen reiten können.

Foto 43 - Quelle: Privat

So gibt es nur noch eine Aufgabe, die jedem Reiter am Herzen liegen sollte: Das Verfeinern und Minimalisieren einer jeden Hilfe.

Denn ist man mit seinem Vollblüter zu einem wirklichen Team geworden, so ist es ebenso wie bei jedem anderen Pferd nicht notwendig grobe und deutlich sichtbare Hilfen zu geben. Das Pferd wird mit Begeisterung seinem Menschen versuchen jeden Gefallen zu tun, wenn es nur fair und geduldig behandelt wird und ab und an auch einfach nur Pferd sein darf.

12. STALLAPOTHEKE

Hat man ein eigenes Pferd, so ist es sinnvoll für alle möglichen kleineren und größeren Blessuren gewappnet zu sein. Hat man einen überaus lebhaften Vollblüter, der den Beginn seines Daseins als Hochleistungssportler verlebt hat, so sollte man auch versuchen für die unmöglichsten Situationen gewappnet zu sein. Durch ihr Temperament sind Vollblüter sehr begabt, sich auch in einem für andere Pferde vollkommen sicher erscheinenden Umfeld noch Schrammen und Kratzer zu holen. Aber keine Sorge, je besser sich das Pferd in seinem neuen Leben zurechtfindet und je besser es sich in seiner neuen Herde eingelebt hat, desto weniger chaotisch wird es.

Folgende Inhalte der Stallapotheke sind Empfehlungen aus über 25 Jahren Pferderfahrungen. Es bleiben aber dennoch Empfehlungen und wenn man sich nicht sicher ist, ob eine selbst Behandlung ausreicht oder das Pferd ernsthaft verletzt ist, sollte immer ein Tierarzt hinzugezogen werden.

Ein wunderbares Mittel, welches abschwellend, schmerzlindernd und entzündungshemmend wirkt, ist Arnika. Diese gibt es entweder als Gel oder Salbe. Sie wird auf Schwellungen mehrfach dünn aufgetragen, darf dabei jedoch nicht in offene Wunden geraten.

Weiterhin sollten Mittelchen und Salben zum Desinfizieren und Abdecken von Wunden vorhanden sein. Bei kleineren Verletzungen reicht es oft diese mit Desinfektionsmittel zu säubern und danach mit einer Kruste bildenden Salbe oder einem Schutzfilm bildenden Spray zu versorgen. So ist die Verletzung gesäubert und vor erneuten Verschmutzungen durch die Umgebung oder Fliegen geschützt.

Ebenfalls ist es nicht schädlich Verbandmaterial am Stall zu haben und wenn es nur gut ist, um eine Verletzung abzudecken, bis der Tierarzt kommen kann. Hier eignet sich hervorragend ein Autoverbandkasten.

Für Entzündungen und Reizungen am Auge ist ein Augentrosttee (diesen bekommt man in der Apotheke) eine wunderbare Sache. Er wird aufgekocht und wenn er kalt ist wird das Auge mit einem sterilen Tuch mit dem Tee ausgewaschen. Die gerne und allseits bekannte Behandlung mit Kamillentee trocknet das Auge unter Umständen zu sehr aus. Aber gerade hier bei Geschehnissen rund ums Auge sei noch einmal gesagt, dass je nach Erkrankung beziehungsweise Verletzung nur der Tierarzt helfen kann. Es sollte nicht riskiert werden, dass das Pferd im schlimmsten Fall ein Auge verliert, nur, weil man selber versuchen wollte es zu heilen.

Hat man ein Pferd, welches begabt darin ist sich die Hufeisen auszuziehen (ohne Hufeisen jedoch zu empfindliche Hufe hat), so sollte man immer auch alle Materialien greifbar haben um einen Hufverband anzulegen. Hierzu gehören einmal Windeln in kleiner Größe, ein kleines Frotteehandtuch, Bandagen (halb Fleece halb Stretch) und Gewebetape auf der Rolle (siehe: Infobox Hufverband wickeln leichtgemacht).

Rivanol ist ebenfalls ein Mittel, welches man immer im Stall haben sollte, um Aufgussverbände bei Entzündungen anlegen zu können. Dieses bekommt man in der Regel, wenn man es das erste Mal benötigt von seinem Tierarzt. Den Rest sollte man ruhig im Stall behalten und einen Wasserkocher sowie eine leere Kunststoffflasche, in der man das Rivanol ansetzen und dann auch in den Verband gießen kann. Sollten Reste in der Flasche verbleiben, sollte man unbedingt daran denken, die Flasche entsprechend ihres Inhaltes zu beschriften, damit keine Verwechslungen vorkommen.

Bei aller Vorsorge für sein Pferd sollte man jedoch nicht vergessen auch an sich selber zu denken. Pflaster, Desinfektionsspray für Menschen und Einmalhandschuhe sollten ebenfalls in jeder Stallapotheke zu finden sein. Genauso wie eventuell eine Salbe zur Soforthilfe bei Insektenstichen.

Zu guter Letzt sollte man dem Stallbetreiber Kontaktdaten für den Notfall und den Urlaub des Pferdebesitzers geben. Außerdem sollte geklärt sein, ob der Stallbetreiber den Tierarzt rufen darf, wenn er den Pferdebesitzer und eine weitere Kontaktperson nicht erreichen kann. Denn manchmal lässt sich der Besuch des Tierarztes nicht verhindern und je nach Notlage kann es für die Genesung des Pferdes enorm wichtig sein, dass der Tierarzt schnell genug vor Ort ist.

Für den Ernstfall sollte jeder Pferdebesitzer wissen, mit welchem Auto und wessen Pferdeanhänger er sein Pferd in welche Tierklinik fahren könnte. Denn ist der Notfall eingetreten, hat man schon einige Sorgen weniger, wenn man weiß, dass alle diese Dinge organisiert sind und die Nummer der bevorzugten Klinik schon im Handy gespeichert ist.

An dieser Stelle sei darauf aufmerksam gemacht, dass man mit seinem Pferd auf jeden Fall verladen üben sollte. Rennpferde werden oft genug verladen und kennen das Prozedere in der Regel nur allzu gut. Jedoch kennen nicht alle Rennpferde den Transport in einem normalen Pferdeanhänger, da sie oft im LKW gefahren werden. Außerdem kann es vorkommen, dass der kluge Vollblüter nach der Eingewöhnungszeit in seinem neuen zu Hause plötzlich nicht mehr auf den Anhänger geht, da er das neue zu Hause nicht wieder aufgeben möchte. Also sollte jeder mit seinem Pferd verladen üben, selbst wenn man nicht regelmäßig gemeinsam irgendwo hinreisen möchte. Denn im Verletzungs- oder Krankheitsfall kann das Überleben des Pferdes davon abhängen, dass es schnell genug in eine Klinik verbracht werden kann.

13. EIN GALOPPER – IST DAS DEIN ERNST?

Diese Bemerkung habe ich als meine Stute bei mir einziehen sollte und bei so ziemlich jedem Stallwechsel oder ähnlichen Gelegenheiten immer wieder gehört. Daher möchte ich an dieser Stelle noch mit ein paar Vorurteilen gegenüber Vollblütern aufräumen und ein paar kleinere Geschichten aus meinem Stallalltag mit Running Girl erzählen.

Lieber tot als Zweiter

Man hört in der Beschreibung eines Vollblüters schon mal die spitze Bemerkung „Lieber tot als Zweiter!"

Dieses Vorurteil muss ich leider, wenn auch schmunzelnd bestätigen. Auch wenn diese Pferde lernen können in einer Gruppe an jeder Position, sowie am langen Zügel in entspanntem Tempo über ein Stoppelfeld zu galoppieren, so wird sich ein Exrennpferd voraussichtlich niemals freiwillig im Galopp von einem anderen Pferd überholen lassen.

Kommt ein anderes Pferd von hinten angeschossen, ist abbremsen, durchparieren oder dahinter bleiben wollen meist ein Wunsch und der bleibt es auch.

Nicht für Kinder geeignet

Nach erfolgreicher Umschulung lassen sich Galopper in der Regel auch von Kindern oder schwächeren Reitern, putzen, führen und reiten. Sie sind natürlich keine Pferde die direkt von der Rennbahn alleine für Kinder oder Anfänger geeignet sind aber diese Eignung haben auch junge Freizeitpferde meist nicht, bevor ihre Grundausbildung abgeschlossen ist.

Die jüngste geführte Reiterin auf Running Girl war zwei Jahre alt und der jüngste eigenständige Reiter war 12. Sie hat Reiterfehler brav verziehen und ihre jungen Reiter vorsichtig und zuverlässig getragen.

Die rennen einem nur unterm Hintern weg

Das Vorurteil, dass einem ein Vollblüter ständig unter dem Hintern wegrennt, ist schlicht und ergreifend falsch. Sie lassen sich gut auch in Ruhe reiten, wenn man selber diese Ruhe vermitteln kann. Natürlich muss auch die Auslastung des Pferdes stimmen, wenn man entspannte Ritte unternehmen möchte.

Grundsätzlich sei jedoch gesagt, wer einen Galopper im Stall hat, sollte auch gerne galoppieren, sonst ist diese Art Pferd vielleicht nicht die Richtige.

Foto 44 - Quelle: Privat

Hysterische Gazellen

Ein Vollblüter kurz nach seiner Pensionierung kann schon extrem lebhaft sein, denn diese Elektrizität sorgt für den nötigen Pepp beim Rennen. Sie lernen aber begeistert, wie man in Ruhe zuhört und dass es sich nicht lohnt zu schnell kopflos zu werden. Eine solch positive Entwicklung ist aber eine Frage des Vertrauens und der Basisarbeit.

Running Girl und ich sind beim Ausreiten einmal mitten im Wald in eine Jagdgesellschaft inklusive Hundemeute geraten. Auf einmal knackte und knirschte das ganze Waldstück zu unserer Linken. Die Luft war erfüllt von den Rufen und Kommandos der Jäger und dann kamen die Warnjacken im Geäst nach und nach zum Vorschein und die ganzen Hunde in Sichtweite. Sie hat zwar sofort angefangen jede Menge Adrenalin zu pumpen, um für eine schnelle Flucht vorbereitet zu sein, sodass alle Adern an ihrem Hals und die Schulter hinunter hervorgetreten sind. Trotz aller Anspannung war sie bereit unter mir stehen zu bleiben, bis die Jäger ihre Hunde zurückgepfiffen hatten und wir weiter reiten konnten. Sie war sehr aufgeregt aber brav und händelbar. Ich möchte nicht wissen wie viel angeblich ach so brave Freizeitpferde so mutig und in Verbindung zu ihrem Menschen geblieben wären.

Braves Verhalten ist eine Frage von Beziehung und Erziehung und nicht eine Frage der Rasse.

Bezug der Sommerweide

Der Stall an dem Running Girl einige Jahre gestanden hat hatte wunderbare riesige Weiden. Zu Beginn der Weidesaison hat jeder die ersten Minuten mit seinem Pferd an der Hand angeweidet. Waren alle Pferde soweit, dass sie zwei Stunden auf die Weide konnten, wurden sie einige Tage morgens auf die Weide gebracht und wieder reingeholt, bis sie 24 Stunden draußen bleiben konnten. An diesen Morgen waren immer so viele Besitzer wie möglich vor Ort, sodass die Pferde nach und nach zur Weide gebracht werden konnten. Konnte jemand um diese Uhrzeit nicht, war das nicht schlimm

und das Pferd wurde von den anderen einfach mitgenommen. Ich bekam die Ansage: „Für deinen Vollblüter kommste ja wohl schön selber! Wer soll die denn mitnehmen?" Also gesagt, getan morgens zum Stall gefahren. Wir waren mit fünf Personen, jeder ein Pferd am Halfter. Alle auf die Weide, Tor zu. Nun sollten eigentlich alle Pferde gleichzeitig losgemacht werden. Die anderen Pferde und Ponys fingen plötzlich an loszuspringen und einige rannten folglich mit Halfter und Führstrick über die Weide. Running Girl war zwar sehr angespannt auf Grund der ganzen Aufregung rund herum, blieb aber brav bei mir, bis ich sie losgemacht hatte und startete erst dann durch.

So viel zu den gefährlichen, nicht zu händelnden Vollblütern.

Das wird nie ein cooles Freizeitpferd

Foto 46 - Quelle: Privat

Foto 45 - Quelle: Privat

Dieses Vorurteil ist einfach falsch. Ist man selbstreflektiert genug ist mit einem solch hochblütigen Pferd umzugehen und sich darüber im Klaren, wofür ein Vollblüter gezüchtet wurde, kann auch ein solches Pferd ein cooles und entspanntes Freizeitpferd werden.

Je mehr sie lernen und erleben dürfen, desto cooler werden sie. Diese Pferde sind intelligent, lernfähig, arbeitsfreudig und sensibel. Haben sie erst einmal richtiges Vertrauen zu ihrem Menschen aufgebaut, sind sie sehr gerne bereit ihre Kraft und Ausdauer ihrem Menschen zu schenken und verbringen gerne viel Zeit mit ihrer Bezugsperson.

Einmal Vollblüter immer Vollblüter

Diese Aussage ist so wahr wie einige der anderen Vorurteile falsch sind. Wer einmal eine gute Beziehung zu einem Vollblüter hatte und mit ihm gemeinsam fliegen und die große Freiheit genießen durfte wird nie wieder ohne sein wollen. Die Kraft, Ausdauer und Zähigkeit die diese filigranen Pferde besitzen in Kombination mit ihrer Intelligenz und Gelehrigkeit sind eine Kombination mit wahrem Suchtpotenzial.

14. SCHLUSSBEMERKUNG

Abschließend kann ich sagen, dass ich mit meiner Vollblutstute nach einiger Zeit nahezu alles machen konnte und so manch anderes Freizeitpferd neben uns echt schlechter aussah. Sie hatte gelernt nicht mehr sofort in Hektik zu verfallen, sondern erst abzuwarten, welche Signale von mir kommen und somit ihre Kondition, Lauffreude und Intelligenz sowie ihren Mut für und nicht gegen mich einzusetzen. Dieses Geschenk war eines der größten die mir bisher gemacht worden sind. Auch wenn wir in unserem Training immer wieder Rückschläge und Hindernisse meistern mussten, ist es uns doch gelungen ein super Team zu werden. Ich hätte mir seiner Zeit ein Buch wie dieses gewünscht, um ein besseres Verständnis für meine Stute entwickeln zu können.

Ich hoffe mit diesem Buch vielen Besitzern von ehemaligen Rennpferden helfen zu können, ihre Schützlinge besser verstehen und mit ihnen arbeiten zu können und viele Einblicke gegeben zu haben, wie viel Spaß man mit einem ehemaligen Rennpferd haben kann. Außerdem wünsche ich mir, dass viele Menschen auf den Geschmack kommen ein solches Pferd aufzunehmen und ihnen ein gutes und dauerhaftes zu Hause zu geben. Damit sie nach ihrer meist früh beendeten Karriere ein tolles Leben führen können.